100 DICAS INFALÍVEIS PARA EMAGRECER E SE MANTER EM FORMA

Ana Karolina S Almeida
2012

Conheça outros títulos da coleção Autoestima

A arte da meditação, de Daniel Goleman, Ph.D.

A arte da serenidade, de Hugh Prather

A arte de viver, de Sharon Lebell

A essencial arte de parar, de David Kundtz

Aprendendo a conviver com quem se ama, de Neale Donald Walsch

A sabedoria de Gandhi, seleção e introdução de Richard Attenborough

As crianças aprendem o que vivenciam, de Dorothy Law Nolte e Rachel Harris

Conversando com os espíritos e *Em busca da espiritualidade*, de James Van Praagh

Faça o seu coração vibrar, de Osho

Histórias para aquecer o coração, de Jack Canfield, Mark V. Hansen e Heather McNamara

Muitas vidas, muitos mestres e *Só o amor é real*, de Brian Weiss

Não deixe para depois o que você pode fazer agora, de Rita Emmett

O caminho da tranquilidade, de Sua Santidade, o Dalai-Lama

O outro lado da vida, de Sylvia Browne e Lindsay Harrison

O poder das afirmações positivas, *Pensamentos poderosos* e *Sabedoria para viver bem*, de Louise Hay

O poder do silêncio e *Praticando o poder do Agora*, de Eckhart Tolle

Os números secretos dos relacionamentos, de Aparecida Liberato e Beto Junqueyra

FRED A. STUTMAN, M.D.

100 DICAS INFALÍVEIS PARA EMAGRECER E SE MANTER EM FORMA

Saiba como perder peso de modo eficiente e no ritmo certo

SEXTANTE

DIET-STEP® é a marca registrada do programa de emagrecimento e condicionamento físico do Dr. Fred A. Stutman, M. D.

POWER DIET-STEP® é a marca registrada do plano de emagrecimento e condicionamento físico de 21 dias do Dr. Fred A. Stutman, M. D.

O objetivo deste livro é apresentar informações úteis sobre o assunto abordado. Seu propósito não é substituir tratamentos nem orientações de profissionais das áreas médica, de nutrição e de educação física. Qualquer uso dos dados aqui relacionados fica a critério do leitor. O autor e os editores eximem-se de toda e qualquer responsabilidade por prejuízos e riscos, pessoais ou não, que decorram direta ou indiretamente do uso ou da aplicação das informações contidas neste livro. Recomendamos que o leitor busque a orientação e a aprovação de um médico antes de dar início à dieta e ao programa de exercícios.

Título original: *100 Weight-loss Tips That Really Work*

tradução: Ana Beatriz Rodrigues
preparo de originais: Valéria Inez Prest
revisão: Ana Grillo, Ana Lucia Machado, Cristhiane Ruiz e Hermínia Totti
projeto gráfico e diagramação: Valéria Teixeira
capa: Miriam Lerner
impressão e acabamento: Cromosete Gráfica e Editora Ltda.

CIP-BRASIL. CATALOGAÇÃO-NA-FONTE
SINDICATO NACIONAL DOS EDITORES DE LIVROS, RJ

S928c Stutman, Fred A.
100 dicas infalíveis para emagrecer e se manter em forma: saiba como perder peso de modo eficiente e no ritmo certo / Fred A. Stutman [tradução de Ana Beatriz Rodrigues]. Rio de Janeiro: Sextante, 2010.
(Autoestima)

Tradução de: 100 weight-loss tips that really work
ISBN 978-85-7542-593-0

1. Emagrecimento. 2. Dieta de emagrecimento. I. Título. II. Título: Cem dicas infalíveis para emagrecer e se manter em forma. III. Série.

CDD 613.25
10-4157. CDU 613.24

GMT Editores Ltda.
Rua Voluntários da Pátria, 45 – Gr. 1.404 – Botafogo
22270-000 – Rio de Janeiro – RJ
Tel.: (21) 2538-4100 – Fax: (21) 2286-9244
E-mail: atendimento@esextante.com.br
www.sextante.com.br

SUMÁRIO

INTRODUÇÃO

Sou médico há bastante tempo e já perdi a conta dos pacientes que me procuram em busca de conselhos para emagrecer e manter o peso. Eles sempre me perguntam se recomendo a dieta que está na moda naquele momento - todos querem encontrar uma espécie de solução mágica para o problema do sobrepeso e da obesidade.

Minha resposta tem sido a mesma ao longo desses anos: "Coma menos e se exercite mais." É uma fórmula simples, porém quem faz dieta costuma querer algo mais radical, como o regime da moda, que, em teoria, proporciona uma rápida perda de peso. Pesquisando diversos programas de emagrecimento e tópicos nutricionais, levantei dados científicos que embasam a dieta alimentar e a nutrição e os transformei em dicas fáceis de seguir. Essas sugestões estão divididas pelas áreas mais comuns de interesse.

Portanto, este é um livro muito versátil, um guia para o sucesso, independentemente do caminho que você prefira seguir. Leia-o do início ao fim para ter uma noção geral dos hábitos alimentares saudáveis e da prática de exercícios. Ou se concentre nos aspectos do emagrecimento que são mais difíceis para você ou sobre os quais deseja obter mais informações. Para aumentar a sua motivação, experimente ler uma dica por dia e incorporá-la ao seu cardápio ou à sua programação de atividades diárias.

Use as sugestões fáceis, saborosas e saudáveis de lanches e refeições que apresento aqui para emagrecer com facilidade e manter o peso ideal com segurança, sem as ameaças à saúde ocultas nas perigosas dietas da moda, como aquelas que são pobres em carboidratos. Destaco a caminhada como a melhor e mais eficiente modalidade de atividade física. Além disso, ela não apresenta os riscos das opções que exigem maior esforço físico. Até mesmo as pessoas que têm um cotidiano atribulado encontram muitas maneiras de encaixar esse exercício em sua rotina. Por exemplo, parar o carro na última vaga do estacionamento e subir pela escada em vez de usar o elevador contribui para a queima de calorias. De forma geral, a caminhada beneficia quem é muito ocupado para fazer dieta ou se exercitar.

Combinadas, essas dicas formam um conjunto prático de medidas fundamentais que vão ajudar você a emagrecer, adquirir condicionamento físico e desenvolver hábitos alimentares saudáveis. Escolha aquelas que são mais apropriadas ao seu estilo de vida.

Todas as sugestões apresentadas neste livro foram rigorosamente pesquisadas com o objetivo de comprovar sua autenticidade em termos médicos. São seguras, eficazes e proporcionam um método de emagrecimento único e fácil de seguir. Você não será vítima do efeito sanfona e, o mais importante, será mais saudável; portanto, é provável que viva mais. Além disso, se sentirá melhor, mais jovem e mais disposto. Cada dica que seguir o ajudará a emagrecer. Os quilos perdidos não voltarão, pois você terá adotado bons hábitos alimentares e estará se exercitando com regularidade – duas práticas que podem ser mantidas pelo resto da vida.

DICA 1: ACREDITE: AS CALORIAS CONTAM

Apesar do que dizem as dietas da moda, não existe uma fórmula mágica para emagrecer. Talvez você obtenha sucesso seguindo diversos regimes alimentares. No entanto, a única maneira de perder peso é fazer com que o número de calorias ingeridas seja menor do que o número de calorias queimadas. Para se manter sempre em forma, coma alimentos saudáveis e nutritivos e livre-se das calorias extras praticando exercícios.

Um estudo publicado no *Journal of American Medicine* em abril de 2003 revelou que o melhor meio de emagrecer é manter o consumo calórico diário em um nível mais baixo durante um longo período. A única - e a mais saudável - dieta de emagrecimento que você pode seguir para ter saúde e permanecer em forma é a que estabelece uma alimentação com pouca gordura, muitas fibras e quantidades moderadas de proteína e de carboidratos complexos. Com ela, você não estará exposto a efeitos colaterais perigosos nem sentirá fome. Além disso, conservará o peso ideal e terá os benefícios de um programa alimentar balanceado e nutritivo.

Tornando seu prato mais pobre em gordura e rico em fibras, você terá menos chance de apresentar problemas cardíacos, hipertensão, derrame e diversos tipos de câncer. Essa alimentação é, por natureza, uma dieta de baixa caloria disfarçada. E o melhor é que ela dá certo e continua a funcionar enquanto é seguida. Esse é um plano alimentar que você pode seguir pelo resto da vida se desejar emagrecer, manter o peso ideal, ter saúde, obter condicionamento físico e viver por mais tempo - adotando uma dica de cada vez.

DICA 2: CONHEÇA UM MÉTODO SIMPLES DE EMAGRECIMENTO

Uma técnica fácil para emagrecer é ingerir menos 300 calorias por dia e aumentar o nível de atividade física para queimar 200 calorias diariamente. Isso corresponde a uma perda diária de 500 calorias.

Como 3.500 calorias equivalem a cerca de 500g de gordura, você conseguirá perder em torno de meio quilo por semana com pouco ou nenhum esforço. O cálculo é o seguinte: consuma 300 calorias a menos por dia e queime 200 calorias extras com atividades físicas, como caminhadas. Isso lhe permitirá perder 500 calorias por dia, sete dias por semana (500 x 7 = 3.500 calorias). Se você ingerir 500 calorias a menos sem aumentar o nível de atividade física, ainda assim perderá meio quilo por semana (500 calorias eliminadas da dieta x 7 dias = 3.500 calorias, ou meio quilo a menos). Pense, então, nas possibilidades de emagrecimento que você terá se reduzir a ingestão calórica diária e passar a se exercitar ainda mais.

A perda de peso lenta e estável proporcionada por ajustes na ingestão de calorias é a maneira mais segura e eficiente de emagrecer e se manter em forma pelo resto da vida. Esse método permite que você se habitue a uma mudança permanente em seus hábitos alimentares, enquanto a prática regular de exercícios condiciona seu corpo a realizar atividades físicas todos os dias para obter a sensação de bem-estar. Parece simples? E é.

DICA 3: ADOTE MANEIRAS RÁPIDAS E FÁCEIS DE CORTAR CALORIAS

Veja a seguir dicas para cortar calorias sem nem mesmo perceber:

- Substitua o leite integral pela mesma quantidade de leite desnatado. Opte também por adicionar leite desnatado ao café ou ao cappuccino.
- Use mostarda, ketchup ou maionese light no lugar da maionese comum em saladas e sanduíches.
- Se você não consegue resistir à batata frita, tente dividir uma pequena porção com um amigo ou coma apenas três ou quatro batatinhas.
- Uma boa maneira de cortar calorias e carboidratos refinados dos sanduíches é retirar o miolo do pão antes de acrescentar a margarina ou requeijão e os demais ingredientes.
- Corte uma fatia de pizza ao meio e guarde o restante para comer mais tarde.

- Preste muita atenção nos tamanhos das porções tanto em lanchonetes quanto em restaurantes. Use as sugestões a seguir para comer menos nesses lugares. Por exemplo:
  - 1/2 xícara de cereal ou de massa cozida equivale a uma porção. Os restaurantes, porém, servem uma quantidade quase três vezes maior do que essa como se fosse apenas uma porção – e antes da adição do molho.
  - Uma panqueca ou waffle pequeno feito em casa corresponde a uma porção. Nos restaurantes, entretanto, uma panqueca grande equivale a cerca de duas porções e meia.
  - Ao pedir uma salada, tempere-a com molhos light, que têm 1/3 das calorias dos molhos comuns. Se não for possível, opte por azeite de oliva e vinagre. Peça o molho à parte para controlar a quantidade.
- Verifique sempre os tamanhos das porções de qualquer alimento industrializado que você comprar. Em geral, as pessoas acreditam que um pacote desses produtos equivale a uma porção, quando, na verdade, ele pode conter várias porções.
- Tome cuidado com os alimentos industrializados feitos com gorduras do tipo trans. Esse tipo de gordura, que é muito prejudicial à saúde, pode estar discriminado no rótulo da embalagem como gordura "hidrogenada" ou "parcialmente hidrogenada".
- No restaurante, antes mesmo de começar a comer, peça ao garçom que embrulhe metade da refeição para viagem. Se você esperar para fazer isso quando já a estiver saboreando, acabará comendo mais do que queria, e a quantidade de calorias ingeridas irá para a estratosfera.
- Substitua o queijo comum por queijos com pouca ou nenhuma gordura. Queijo de cabra light, queijo feta, mozarela light e ricota são boas opções.
- Retire toda a pele e toda a gordura visível das carnes de aves e da carne vermelha antes de prepará-las.
- Evite tomar refrigerantes comuns, chás e sucos adoçados. Para acompanhar os lanches, beba chás e café descafeinados, refrigerantes diet ou sucos frescos de laranja e de grapefruit. (Se for tomar suco de tomate em lata, use a versão com pouco sódio.) O melhor, no entanto, é tornar a água a sua bebida favorita.

- Faça as refeições com calma. Sirva-se de porções pequenas, coma devagar e mastigue bem os alimentos. Faça pausas durante a refeição. Isso permite que o organismo tenha tempo de se sentir saciado e impede que você consuma calorias desnecessárias.

DICA 4: EVITE OS MAUS CARBOIDRATOS

Todos os carboidratos que ingerimos são transformados em açúcar (glicose), que as células do corpo usam como combustível. Quando as moléculas de glicose passam dos intestinos para a corrente sanguínea, o pâncreas (glândula situada na parte posterior do estômago) produz o hormônio insulina, que avisa as células de que elas devem absorver a glicose. Assim que as células (da pele, dos órgãos internos, dos tecidos, dos músculos, de gordura e outras) assimilam a glicose, os níveis de insulina no sangue voltam ao normal.

O principal fator que diferencia os bons carboidratos dos maus carboidratos é a velocidade com que esses alimentos são convertidos em açúcar no intestino e absorvidos pela corrente sanguínea. Esse fator é conhecido como índice glicêmico (IG). Os alimentos que apresentam um IG alto são considerados maus carboidratos. Entre eles estão: arroz branco, farinha de trigo branca refinada e altamente processada (usada na confecção de pães, massas, produtos de confeitaria, panquecas, waffles, etc.); sucos de frutas, refrigerantes açucarados e isotônicos; bolos, tortas, sorvetes, biscoitos recheados, doces e a maioria das sobremesas; batatas chips; bolachas salgadas; e algumas hortaliças (milho e batata-inglesa).

Os maus carboidratos são rapidamente convertidos em glicose no intestino e absorvidos muito depressa pela corrente sanguínea. Esse súbito aumento nos níveis de açúcar no sangue causa uma brusca elevação nas taxas de insulina. Por conta da alta produção desse hormônio, a glicose cai depressa, privando os tecidos orgânicos e o cérebro de energia. Em resposta, o cérebro envia sinais de fome para que a pessoa faça logo outra refeição e restaure as taxas de glicose. Esse círculo vicioso provoca um consumo exagerado de calorias, o que acarreta um aumento excessivo do peso.

Os elevados níveis de insulina necessários para que as células sejam abastecidas de açúcar inibem também a produção de um hormônio chamado glucagon, que orienta as células adiposas a queimar o combustível estocado quando as taxas de glicose estão abaixo do nível crítico. Com a redução da taxa desse hormônio, as células adiposas passam, então, a armazenar mais gordura em vez de usá-la para gerar energia. Assim, quanto menos energia é produzida, mais gordura é acumulada.

Além de promover o aumento excessivo de peso, a ingestão exagerada de alimentos com IG alto pode desencadear graves problemas de saúde. Quando, em resposta ao consumo desse tipo de alimento, o pâncreas secreta insulina em excesso repetidas vezes, as células que a produzem podem entrar em exaustão e fabricá-la numa quantidade cada vez menor. Muitas vezes, isso causa diabetes e resistência à insulina, distúrbio em que os tecidos do organismo não reagem satisfatoriamente aos sinais emitidos por esse hormônio para que a glicose seja transferida do sangue para as células.

AS DIETAS RICAS EM AÇÚCAR PODEM AUMENTAR O RISCO DE CÂNCER DE MAMA

De acordo com uma pesquisa publicada no *Journal of Cancer Epidemiology, Biomarkers & Prevention* em agosto de 2004, as mulheres que comem grandes quantidades de carboidratos refinados correm um risco duas vezes maior de desenvolver câncer de mama em comparação com aquelas que consomem menos açúcar e menos amiláceos (alimentos ricos em amido). Segundo os cientistas, isso acontece porque a ingestão excessiva de carboidratos refinados provoca uma elevação súbita nas taxas de glicose, levando às alturas os níveis de insulina no sangue. As altas taxas desse hormônio podem fazer com que as células normais se dividam muito rápido e também elevar os níveis de insulina nas células da mama. Acredita-se que esses dois fatores concorram para a formação de células cancerosas no seio.

Tais estudos não sugerem que as pessoas sigam programas alimentares pobres em carboidratos, e sim que restrinjam a quantidade de carboidratos refinados e os substituam por carboidratos complexos, que contêm alta concentração de fibras. Um grande número de pesquisas revela que as dietas que privilegiam as fibras diminuem o risco de ocorrência de diversos tipos de câncer quando associadas a uma alimentação rica em proteína magra e com pouca gordura. (Por outro lado, ficou comprovado que as dietas com muita gordura elevam o risco de formação de vários tipos de câncer, sobretudo o de mama.) Essas descobertas aumentam a preocupação com mulheres que consomem açúcar refinado em excesso, pois elas podem estar mais sujeitas a ter câncer. Isso se aplica sobretudo àquelas que estão acima do peso, são diabéticas ou apresentam resistência à insulina.

DICA 5: CONTE AS CALORIAS, NÃO OS CARBOIDRATOS

Sabemos que não existe mágica para emagrecer. A única maneira de perder peso é fazer com que o número de calorias consumidas seja menor do que o número de calorias queimadas. O "truque" é reduzir a ingestão de calorias, mas sem passar fome.

Para funcionar adequadamente, o organismo necessita de carboidratos, porém não de calorias em excesso na forma de açúcares refinados, amidos e gorduras saturadas. O relatório sobre alimentação saudável divulgado em 2002 pelo Institute of Medicine da National Academy of Science recomenda que 45 a 65% das calorias consumidas por adultos sejam provenientes de carboidratos. Isso representa a ingestão diária de cerca de 520 calorias presentes em carboidratos, com base em uma dieta de 1.200 calorias.

O correto funcionamento do organismo depende, na verdade, de carboidratos complexos, como grãos integrais, frutas e hortaliças. Esses alimentos são ricos em nutrientes e contêm muito menos calorias do que grãos refinados e alimentos açucarados. Os carboidratos se transformam em glicose, um açúcar simples, que é a fonte favorita de combustível do corpo e do cérebro. A restrição excessiva do seu consumo, como estabelecem alguns regimes alimentares, esgota o estoque de carboidratos armazenados nos músculos e no fígado. Assim, o organismo tem que produzir glicose a partir da proteína, um modo ineficiente de obter energia que pode causar fadiga, depressão, desequilíbrio de minerais e perda de proteína. Esses distúrbios sobrecarregam os rins, o fígado e outros órgãos, que ficam sujeitos a danos quando esse tipo de dieta não é corrigida.

Os carboidratos sem valor nutricional, como biscoitos recheados, produtos de confeitaria e sorvetes, além de conterem açúcar, apresentam quantidades consideráveis de gordura. Para cada grama de gordura consumido, acumulam-se nove calorias; no caso de cada grama de carboidrato e de proteína, porém, são apenas quatro calorias. Assim, se você limitar o consumo de açúcares refinados, amiláceos e alimentos gordurosos, cortará naturalmente calorias da alimentação e emagrecerá com saúde.

DICA 6: CONCENTRE-SE NOS CARBOIDRATOS COMPLEXOS

Os carboidratos foram alvos de duras críticas nas últimas décadas. Os programas alimentares pobres em carboidratos, como a Dieta do Dr. Atkins, fizeram com que muitas pessoas limitassem ou abolissem totalmente a ingestão desse tipo de alimento. No entanto, incluir grande quantidade de carboidratos saudáveis e complexos na alimentação é uma ideia muito melhor.

Quando você adota uma alimentação com poucos carboidratos e rica em gordura, todo o excesso de calorias da gordura que foi ingerida é armazenado nas células adiposas. Quanto mais gordura você come, mais gordura seu organismo retém. Isso acontece independentemente da limitação do consumo de carboidratos. Na verdade, quanto mais você restringe o consumo de carboidratos, mais gordura consome. As dietas pobres em carboidratos são ricas em gordura, que, além de deixar o corpo mais roliço, obstrui as artérias com colesterol.

Por outro lado, comendo carboidratos saudáveis e complexos, você emagrecerá com segurança, de forma constante e manterá o peso por muito tempo. O organismo gasta duas vezes e meia mais energia convertendo carboidratos complexos com um índice glicêmico (IG) baixo e levando-os à corrente sanguínea para uso imediato e para posterior armazenamento de glicogênio nos músculos e no fígado do que transformando a gordura numa fonte de combustível destinada à produção de energia. Em outras palavras, uma dieta rica em carboidratos complexos e com pouca gordura faz com que o organismo trabalhe ainda mais após cada refeição, queimando calorias para obter energia, do que uma dieta pobre em carboidratos e rica em gordura. Isso eleva a taxa metabólica basal (TMB).

DICA 7: EMAGREÇA COM OS BONS CARBOIDRATOS

Um estudo realizado em Harvard mostrou que as mulheres que comem pelo menos duas porções diárias de pães e cereais integrais ricos em fibras têm menos chance de engordar do que aquelas que consomem carboidratos refinados e poucas fibras. Ao contrário dos maus carboidratos, os bons carboidratos ricos em fibras queimam mais calorias durante a digestão, além de proporcionarem uma sensação de saciedade que ocorre mais rápido e se mantém por mais tempo. Pães, cereais, massas e arroz ricos em fibras reduzem a produção da insulina, que armazena gordura. Isso nos faz engordar menos e queimar mais calorias provenientes da gordura.

Em sua maior parte, as hortaliças (exceto o milho e a batata-inglesa), as frutas, os feijões, as leguminosas, as nozes, os cereais e os pães integrais têm um índice glicêmico (IG) baixo, por isso são considerados bons carboidratos. À medida que o organismo converte esses carboidratos saudáveis em glicose, eles são lentamente processados no trato intestinal e absorvidos pela corrente sanguínea. Como é assimilada aos poucos, a glicose provoca um aumento moderado e aceitável nas taxas de insulina produzida pelo pâncreas. Graças a esses níveis regulares de insulina, a glicose é processada devagar nas células para ser usada como fonte de energia. Em outras palavras, evitam-se os picos nos níveis de glicose que enchem as células de açúcar adicional, bem como a rápida flutuação nos níveis de glicose que causa excesso de fome, vontade de comer carboidratos e aumento excessivo de peso.

Consumir bons carboidratos pode, de fato, ajudar a emagrecer. Esse tipo de carboidrato é basicamente de origem vegetal e contém fibras, assim como muitos outros fitonutrientes.

DICA 8: EXPERIMENTE CARBOIDRATOS SAUDÁVEIS E SABOROSOS

Os bons carboidratos listados a seguir têm um índice glicêmico (IG) baixo, além de serem opções saborosas para uma alimentação saudável:

- Hortaliças: são essenciais para uma alimentação nutritiva. Em geral, à exceção do milho e da batata-inglesa, constituem excelentes fontes de bons carboidratos.
- Frutas: são saudáveis e deliciosas, mas tome cuidado com aquelas que são ricas em açúcar, como o melão e a uva. Fique atento também aos sucos de frutas, que contêm muito açúcar e pouco da fruta em si.
- Feijões e leguminosas: são excelentes fontes de fibras, proteínas, vitaminas, minerais e nutrientes.
- Cereais integrais: outra ótima fonte de bons carboidratos, entre os quais se encontram:
    - Aveia e cereais frios para o café da manhã (fique atento, pois os mingaus de aveia instantâneos com sabor podem conter muito açúcar). Verifique no rótulo desses produtos se o teor de fibras é de 4g ou mais por porção e se o de açúcar é inferior a 10 ou 12g por porção (o ideal é que seja inferior a 8g). Cereais integrais com farelo costumam apresentar uma boa quantidade de fibras.
    - Pães fabricados com grãos integrais ou com farelo de cereais. Confira o rótulo para saber se o pão foi realmente preparado com esses itens.
    - Massas feitas de trigo integral, que hoje estão disponíveis numa grande variedade. Use a criatividade e elabore pratos saudáveis com esses produtos.
    - Arroz integral de grãos longos. O arroz integral é uma excelente opção de alimento com IG baixo para qualquer refeição, pois é decomposto e absorvido devagar.
- Nozes de todos os tipos: amêndoas, avelãs, castanhas e outras nozes (veja a Dica 44) são alimentos com IG baixo que proporcionam ótimos lanches. Além de serem absorvidas devagar, são fontes excelentes de proteína, fibras, magnésio, cobre, ácido fólico, potássio e vitamina D. As nozes contêm, ainda, gorduras monoinsaturadas,

as "gorduras boas", que ajudam a manter os vasos sanguíneos desobstruídos e a reduzir o risco de problemas cardíacos e derrame. As nozes cruas são particularmente saudáveis para o coração porque apresentam generosas quantidades de ácidos graxos ômega-3, substâncias que também contribuem para a prevenção de determinados tipos de câncer.

DICA 9: SAIBA QUE NEM TODOS OS CARBOIDRATOS SÃO IGUAIS

As fibras são a estrutura filamentosa dos alimentos de origem vegetal que, por não serem digeridas completamente, passam intactas pelo trato digestivo, ou digestório. Elas não estão presentes em alimentos de origem animal, como carnes e laticínios. As bactérias existentes no intestino digerem-nas por meio de um processo conhecido como fermentação.

TIPOS DE FIBRAS

Os alimentos de origem vegetal contêm uma mistura de diferentes tipos de fibras, que são classificadas como solúveis e não solúveis, dependendo da sua capacidade de se dissolver na água.

Fibras não solúveis

As fibras não solúveis são as partes estruturais das paredes das células vegetais. Classificam-se em três tipos principais: celulose, hemicelulose e lignina. Essas fibras absorvem várias vezes seu próprio peso em água, o que amacia as fezes e acelera sua eliminação. Favorecem o funcionamento regular do intestino e ajudam na prevenção e no tratamento de alguns tipos de constipação, hemorroidas e diverticulite. Elas também podem diminuir o risco de câncer de cólon porque diluem substâncias potencialmente perigosas presentes no intestino.

Fibras solúveis

De fácil digestão, as fibras solúveis também são classificadas em três tipos principais: goma, pectina e mucilagem. Essas fibras são encontradas no interior das células vegetais. Quando ingeridas, formam um gel, que reduz a velocidade de esvaziamento do estômago, bem como o ritmo de absorção de açúcares simples pelo intestino. Esse processo ajuda a regular os níveis de açúcar no sangue (glicose), o que é útil para quem tem diabetes e contribui para o controle do peso de portadores ou não dessa doença.

Quando o estômago se esvazia mais devagar, a sensação de saciedade permanece por mais tempo, a fome é menor e, por isso, a quantidade de calorias ingeridas diminui. Por exemplo, se você comer uma maçã, que é rica em fibras, se sentirá mais satisfeito do que se ingerir um doce industrializado e sem fibras que tenha quase o mesmo peso e tamanho dessa fruta. Além disso, o doce terá muito mais calorias.

Muitas fibras solúveis podem ajudar também a reduzir o colesterol no sangue, ligando-se aos ácidos da bile e ao colesterol e eliminando-o através do trato intestinal antes que ele seja absorvido pela corrente sanguínea. As melhores fontes de fibras solúveis são as frutas e hortaliças, o farelo de aveia, a cevada, as ervilhas e os feijões secos, a semente de linhaça e o *psyllium*.

A FUNÇÃO DAS FIBRAS

A função mais importante das fibras alimentares é ligar-se à água no intestino, na forma de gel. Esse gel evita a absorção excessiva da água no intestino grosso e garante a formação de um bolo fecal volumoso e macio, facilitando sua passagem por esse órgão. Outra função importante das fibras é o efeito que elas exercem sobre o metabolismo, a assimilação e a reabsorção dos ácidos da bile e do colesterol. As fibras alimentares ligam-se ao colesterol e aos ácidos da bile e, consequentemente, diminuem a sua absorção pelo intestino. Hoje sabemos que diversas doenças são, pelo menos em parte, causadas pela falta de fibras alimentares. Entre elas estão problemas gastrintestinais, metabólicos, cardiovasculares e degenerativos, inclusive alguns tipos de câncer e de doenças neurológicas. Essa teoria foi apresentada pela primeira vez em 1975 por P. D. Burkitt e H. C. Trowell, em *Refined Carbohydrate Foods and Disease* (Os carboidratos refinados na alimentação e as doenças).

Em muitos países, observa-se uma relação quase inversa entre a quantidade de fibras consumidas e a incidência de várias doenças.

Quanto maior a ingestão de fibras alimentares, menor a ocorrência dos problemas mencionados no parágrafo anterior.

FITOQUÍMICOS BENÉFICOS À SAÚDE ESTÃO PRESENTES EM ALIMENTOS RICOS EM FIBRAS

Relatórios médicos sobre alimentos com grande quantidade de fibras indicam que algumas hortaliças e frutas de coloração verde-escura e amarelo-escura contêm substâncias que conferem proteção contra o câncer – são os chamados fitonutrientes. Uma delas, conhecida como betacaroteno (nutriente que o organismo converte em vitamina A), é encontrada em alta concentração em alimentos como espinafre, cenoura, brócolis, couve-de-bruxelas, couve-flor, abóbora, repolho, laranja, grapefruit, damasco e pêssego. Esses vegetais apresentam também grandes quantidades de vitamina C. Ambas as vitaminas podem proteger contra cânceres de pulmão, esôfago, estômago, intestino grosso e pele.

COMO AS FIBRAS AJUDAM A EMAGRECER

As fibras têm a capacidade impressionante de evitar que parte da gordura ingerida seja armazenada no organismo na forma de gordura. Se, ao comer, você misturar alimentos ricos em fibras com qualquer tipo de gordura, como a que está presente em biscoitos recheados e hambúrgueres, cada grama de fibra capturará um pouco de gordura numa rede formada por milhares de filamentos de fibras. Uma vez presa nessa rede, a gordura passa pelo trato intestinal e é eliminada antes de ser absorvida pela corrente sanguínea. As fibras removem a gordura do organismo da mesma maneira que um caminhão de limpeza retira o lixo das ruas.

Alimentos ricos em fibras têm ainda a vantagem de saciar a fome mais rapidamente do que aqueles que possuem esses componentes em pouca quantidade. Assim, ao incluí-los na dieta, consumimos menos calorias. Além disso, levamos mais tempo mastigando e digerindo esses alimentos do que os que são pobres em fibras, o que prolonga a sensação de saciedade. E quem se sente satisfeito por mais tempo ingere menos calorias. Outro benefício proporcionado por esses alimentos é o fato de serem menos calóricos. Frutas, cereais, pães de grãos integrais, bem como inhame, batata-doce e leguminosas, entre outras hortaliças, têm poucas calorias provenientes de gordura e grande concentração de água. Portanto, com esses alimentos, comenos menos e ficamos mais bem nutridos.

DICA 10: USE AS FIBRAS PARA QUEIMAR MAIS CALORIAS

Quem disse que fazer dieta precisa ser uma tarefa difícil? Sabemos que as fibras alimentares favorecem o emagrecimento bloqueando a absorção de gordura no organismo. Além disso, contribuem para a queima de calorias extras. Parece bom demais para ser verdade? Sim, mas funciona.

As fibras ajudam a eliminar calorias porque o trato intestinal precisa trabalhar mais para digerir os alimentos ricos nesse componente alimentar. Portanto, o metabolismo emprega uma quantidade maior de energia nessa digestão mais demorada e, como resultado, pode queimar a maior parte das calorias presentes nesses alimentos. Por mais estranho que pareça, alguns itens com alto teor de fibras podem até mesmo queimar mais calorias do que contêm, criando assim um déficit calórico. Isso faz com que o organismo use a gordura armazenada para produzir energia.

Cada grama de fibras consumido queima até cerca de nove calorias, quase todas provenientes de gordura. Assim, se você comer 30g de fibras por dia, poderá eliminar 270 calorias diariamente (30g de fibras x nove calorias). Será possível subtrair essas 270 calorias da sua ingestão diária total de comida, sem, de fato, precisar cortar essas calorias da alimentação para emagrecer.

Os alimentos ricos em fibras ligam-se à água no trato intestinal formando um volume que faz com que a sensação de saciedade ocorra mais cedo durante a refeição. Assim, você comerá menos e, portanto, consumirá menos calorias. E mais: a região do cérebro que controla o apetite, ou mecanismo da fome, ficará satisfeita por um período mais longo, pois os alimentos com fibras levam mais tempo para serem digeridos e, desse modo, você beliscará menos entre as refeições.

DICA 11: EVITE GRÃOS REFINADOS E OUTROS ALIMENTOS POBRES EM FIBRAS

Consumir grandes quantidades de alimentos pobres em fibras - como gorduras, açúcares refinados, farinha de trigo branca e álcool - sempre causa ganho de peso. Esses alimentos exigem pouca mastigação, têm um volume inexpressivo e, na maioria dos casos, são consideravelmente mais calóricos do que os alimentos ricos em fibras. Eles também entram mais depressa no trato intestinal e são logo absorvidos na forma de açúcar. Essa rápida elevação nos níveis de açúcar no sangue (glicose) provoca um pico na produção de insulina, fazendo com que o organismo armazene mais gordura. Em seguida, as taxas de glicose caem, o que desencadeia a sensação de fome mais uma vez. Como esses alimentos têm um volume pequeno, acabam sendo ingeridos em excesso - e com todo o seu excesso de calorias - para saciar a fome.

Uma alimentação rica em fibras é, em essência, saudável - tem pouca gordura, é pobre em itens refinados e processados e enfatiza o consumo de frutas frescas, hortaliças, grãos e pães integrais.

CHUPE A LARANJA EM VEZ DE TOMAR SEU SUCO

Muitas vezes as fibras saudáveis dos alimentos são removidas por meio do refino de grãos e farinhas para a fabricação de massas, pães e arroz brancos e cereais industrializados. Outras vezes, elas são eliminadas pela extração dos sucos de frutas e hortaliças. Como resultado desses processos, esses alimentos antes saudáveis:

- Perdem a maior parte das fibras, que tantos benefícios proporcionam à saúde.
- Tornam-se muito calóricos.
- Adquirem um volume inexpressivo em comparação ao que tinham antes.
- Passam a ser ingeridos mais rápido, o que favorece um consumo maior de calorias.
- Deixam de promover a sensação de saciedade.
- Fazem com que seja mais fácil engordar: os carboidratos bons e complexos, que são absorvidos lentamente pela corrente sanguínea, transformam-se em açúcares simples que passam rápido para

o sangue, desencadeando o aumento da produção de insulina e o subsequente ganho de peso.

As fibras alimentares demoram mais tempo para serem mastigadas e ingeridas e saciam a fome sem inundar o corpo de calorias. A alimentação rica em fibras também reduz a quantidade de calorias que o corpo retém dos alimentos, além de apresentar baixa densidade de energia e ajudar a evitar a ingestão exagerada de itens calóricos. Aproveite esses benefícios optando por carboidratos complexos ricos em fibras em vez das suas versões processadas, pobres nesse componente.

DICA 12: CONSUMA 2G DE FIBRAS DE CADA VEZ

Se você estiver pretendendo adotar uma alimentação rica em fibras, é bom ter uma ideia geral de quais itens, entre frutas, cereais e hortaliças, são mais benéficos. Veja a seguir uma lista de sugestões.

FRUTAS

Cada porção das frutas relacionadas contém cerca de 2g de fibras:

1 maçã (ou 1 pera)
1 banana
1/2 xícara de morango
1 laranja pequena
45g de uva-passa
1 pêssego médio
2 ameixas pequenas
10 cerejas grandes

PÃES

Cada porção dos pães relacionados contém cerca de 2g de fibras:

1 fatia de pão de trigo integral
1 fatia de pão feito com trigo-sarraceno
1 fatia de pão de centeio

GRÃOS

Cada porção dos cereais relacionados contém cerca de 2g de fibras:

3 colheres de sopa de aveia em flocos

2 colheres de sopa de flocos de arroz
3 colheres de sopa de farinha de aveia crua
1 xícara de flocos de milho

Ao comprar cereais matinais industrializados, verifique no rótulo se eles contêm 5g de fibras alimentares ou mais por porção.

HORTALIÇAS

Cada porção das hortaliças relacionadas contém cerca de 2g de fibras:

1 xícara de aipo
1 espiga de milho verde
1/2 xícara de feijão cozido
1 tomate médio cru
1 talo de brócolis
2 xícaras de alface
1/2 xícara de vagem
1 batata média
4 couves-de-bruxelas
1/3 de xícara de cenoura

As hortaliças e leguminosas com o maior teor de fibras são alcachofra, vagem, repolho, couve-flor, couve-de-bruxelas, feijões secos, feijão-de-lima e ervilha.

GELEIAS E TIRA-GOSTOS

Cada porção dos itens relacionados contém cerca de 1g de fibra:

1 colher de sopa de geleia de morango
10 amendoins
1 xícara de pipoca
1 picles grande

DICA 13: COMECE O DIA COMENDO CEREAIS SAUDÁVEIS E RICOS EM FIBRAS

Pesquisas revelam que as fibras, sobretudo as provenientes de cereais, conferem proteção contra doenças cardíacas. De acordo com o Nurses' Health Study, que avaliou a ingestão de fibras de 70 mil mulheres de 1984 a 1998, as participantes que tinham consumido uma média de 23g de fibras por dia apresentavam um risco 47% menor de sofrer um problema coronariano importante, inclusive infarto do miocárdio e/ou doença coronariana fatal, em comparação com aquelas que haviam ingerido apenas metade dessa quantidade. Uma tigela diária de cereais integrais no café da manhã que forneça 5g ou mais de fibras reduz em cerca de 37% o risco de doenças cardíacas (*JAMA* 282, nº 16; 27 de outubro de 1999).

Quando analisaram os efeitos específicos de três fontes de fibras (frutas, hortaliças e cereais), os pesquisadores constataram que as provenientes dos cereais foram as que mais reduziram o risco de doenças cardíacas. Os produtos feitos de grãos integrais podem aumentar a sensibilidade do organismo à insulina e, assim, baixar os níveis de triglicerídios. Esses itens, sobretudo os cereais à base de soja, são uma fonte importante de fitoestrogênios e podem exercer um efeito favorável na coagulação do sangue.

De acordo com um artigo publicado nos *Archives of Internal Medicine* (164: 370–376; 2004), as fibras provenientes de frutas e cereais podem diminuir o risco de doenças cardíacas. Os autores do estudo acreditam que a fibra contida nesses alimentos reduz o colesterol no sangue, baixa a pressão arterial, melhora a sensibilidade à insulina e diminui a probabilidade de formação de coágulos.

As fibras vegetais, entretanto, não surtiram o mesmo efeito em termos de redução do risco de doença coronariana, o que pode ser atribuído à não distinção entre hortaliças que contêm amido (como milho e batata) e aquelas livres de amido (brócolis e couve-flor, por exemplo). No entanto, dado o seu alto teor de fitonutrientes, as fibras vegetais continuam sendo extremamente importantes na redução da incidência de diversas doenças degenerativas.

Esse estudo englobou dados de outras 10 pesquisas realizadas nos Estados Unidos e na Europa das quais participaram cerca de 100 mil homens e 250 mil mulheres. O propósito desse trabalho, patrocinado pelo National Heart, Lung and Blood Institute e pelo Danish Medical Council, era determinar se as fibras alimentares proporcionavam uma redução significativa da probabilidade de ocorrência de doenças cardíacas. Após um período de acompanhamento de oito anos, observou-se que o risco de doenças cardíacas era de 10 a 30% menor para cada 10g de fibras totais de frutas ou de cereais consumidos diariamente. Comer esses alimentos no café da manhã é, de fato, saudável para o coração.

Saborear um mingau de aveia rico em fibras ou um farelo de trigo com leite desnatado no café da manhã é uma excelente maneira de começar o dia. Esses cereais são nutritivos, saborosos e de digestão lenta. Seu alto conteúdo de fibras não solúveis prolonga a sensação de saciedade, dada a sua lenta absorção pelo trato intestinal. Constatou-se também que produtos elaborados com cereais integrais reduzem a vontade de comer alimentos preparados com açúcar refinado e itens gordurosos, como biscoitos recheados e bolos.

O mingau de aveia, em particular, também é rico em fibras solúveis que contribuem para eliminar a gordura dos vasos sanguíneos ao elevar o bom colesterol (HDL), que "varre" o mau colesterol (LDL) da corrente sanguínea. A American Heart Association já o indicou como uma ótima opção alimentar para começar o dia, pois, além de reduzir o risco de doenças cardíacas, ele diminui a medida da cintura. As pessoas que comem diariamente mingau de aveia ou outros cereais de grãos integrais têm menos chance de apresentar obesidade e diabetes do que aquelas que não ingerem esses alimentos. Cereais com farelos ricos em fibras contribuem para regular a produção de insulina pela manhã, o que ajuda a controlar o apetite, evitando o ganho de quilos extras.

Os cereais com farelos contêm, ainda, magnésio, que também pode baixar o risco de ocorrência de diabetes. Além disso, esse mineral ajuda a estabilizar os níveis de açúcar no sangue (glicose) ao impedir a produção excessiva de insulina pelo pâncreas.

AS FIBRAS COMBATEM DOENÇAS CARDÍACAS

Um estudo publicado no *American Journal of Clinical Nutrition* revelou que as mulheres que consumiam três a quatro porções de grãos integrais por dia apresentavam de 1/3 à metade do risco de desenvolver doenças cardíacas em comparação com aquelas que consumiam farinha de trigo refinada, como a do pão branco. É importante verificar o rótulo de qualquer alimento industrializado para saber se ele é de fato produzido com grãos integrais. Esse cuidado é essencial em relação àqueles que se destinam a lanches, como biscoitos doces, bolachas salgadas e batata chips, pois muitos desses itens contêm farinha refinada e óleos parcialmente hidrogenados (gordura trans), que podem elevar o colesterol mais do que qualquer outro tipo de gordura saturada.

DICA 14: APROVEITE OS ALIMENTOS QUE REDUZEM O APETITE

A laranja e o grapefruit contêm fibras solúveis e não solúveis, além de um tipo de fibra chamado pectina, que inibe o apetite e tem apenas 70 calorias. Essas duas frutas também apresentam muitos fitonutrientes que ajudam a diminuir os níveis das gorduras no sangue e a fortalecer o sistema imunológico. (Por outro lado, em 240ml de suco de laranja ou de grapefruit há 130 a 150 calorias e grande quantidade de açúcar, o que eleva as taxas de insulina e resulta na metabolização do açúcar como células de gordura.)

A maçã é outro alimento que inibe naturalmente o apetite, pois contém fibras solúveis e não solúveis, inclusive a pectina. Uma maçã de tamanho médio, com a casca, possui cerca de 4g de fibras que se combinam com água no trato digestivo para formar o bolo fecal no intestino, o que reduz a fome e prolonga a sensação de saciedade. Ao mesmo tempo, a pectina diminui a vontade de comer por enganar a região do cérebro que controla a fome, fazendo a pessoa acreditar que está satisfeita, embora ela tenha comido somente uma maçã. Esse alimento pleno de fibras satisfaz sem causar fastio. Seu alto teor de fibras ajuda a reduzir a pressão arterial e o colesterol no sangue, além de auxiliar na diminuição da incidência de pólipos intestinais e câncer de cólon.

Por outro lado, comer uma fatia de bolo, que não contém fibras, mas é rica em açúcar, não estimula o cérebro a inibir o apetite. Consequentemente o organismo só registra a sensação de satisfação após a ingestão de dois ou três pedaços dessa guloseima. É o que acontece também com hambúrguer, batata frita e refrigerantes. Isso ocorre porque esses alimentos apresentam grande quantidade de gordura e/ou carboidratos refinados, que são absorvidos rápido e elevam os níveis de açúcar no sangue (glicose) e as taxas de insulina, provocando mais fome.

O vinagre de maçã é outro excelente inibidor do apetite. Concentra vários ácidos, entre eles o málico e o tartárico, que atuam como enzimas digestivas e ajudam a quebrar os carboidratos lentamente, o que reduz sua absorção pela corrente sanguínea. O sabor azedo do vinagre de maçã aumenta a produção de saliva, que contém enzimas que também contribuem para retardar a digestão de carboidratos. Acrescente uma colher de sopa de vinagre de maçã à salada e constate sua capacidade de diminuir o apetite. Qualquer tipo de molho com vinagre, como o vinagrete balsâmico, reduz a vontade de comer. Lembre-se, porém, de ser comedido no uso de molhos à base de óleo, pois esses alimentos também são calóricos.

DICA 15: CONHEÇA MANEIRAS FÁCEIS DE INCLUIR MAIS FIBRAS NA SUA ALIMENTAÇÃO

As fibras são mais benéficas quando ingeridas em todas as refeições ao longo do dia. Ao incluí-las na alimentação, é importante também beber seis a oito copos d'água diariamente. As fibras são capazes de absorver muitas vezes seu próprio peso em água e, com isso, criam volume, proporcionando a sensação de saciedade. Veja a seguir nove maneiras fáceis de enriquecer sua alimentação com fibras.

- Coma pães integrais ou enriquecidos com fibras - eles possuem mais do que o dobro de fibras do pão branco. Algumas ótimas opções de pão são o de trigo integral, o de trigo-sarraceno, o árabe integral e os de centeio, como o *pumpernickel*. Evite pães ricos em gordura e com poucas fibras, como o francês, os italianos e o de forma branco, bem como o de alho, brioches e croissants.
- Coma mais saladas - sem molhos gordurosos, é claro. Tempere-as com um pouco de azeite de oliva e vinagre. Adicione tomate, cenoura, aipo, cogumelos, espinafre e alface, entre outras hortaliças.
- Acrescente hortaliças, como repolho, brócolis, couve-de-bruxelas, vagem, cebola, milho e ervilha à alimentação.
- Experimente leguminosas, como lentilha e feijão, mas sem prepará-las com bacon e carnes gordurosas.
- Adicione nozes, sementes ou farelos de cereais a sopas, iogurtes e pratos preparados no forno para aumentar a ingestão de fibras.
- Substitua, sempre que possível, a farinha de trigo branca por farinha de trigo integral ou farinha de soja.
- Use produtos de grãos integrais, como arroz integral de grão longo e massas de trigo integral.
- Prefira comer frutas inteiras em vez de tomar o suco. Boas opções

são maçã, laranja, pera, banana, morango, mirtilo (*blueberry*), ameixa, pêssego e cereja.
- Misture gérmen e farelo de trigo aos cereais e também a sucos, como os de laranja e de tomate. Cada colher de chá de gérmen e de farelo de trigo contém 2g de fibras alimentares.

Introduza as fibras lentamente na alimentação para evitar cólicas, inchaço abdominal e gases. Faça isso ao longo de um período de quatro a seis semanas. Se você perceber que determinado alimento lhe está causando esses incômodos, substitua-o por outro. Continue a aumentar a ingestão diária de fibras até alcançar de 25 a 30g de fibras por dia, para ter saúde e perder peso. Lembre-se: é muito importante tomar mais líquido – seis a oito copos por dia, para acompanhar o aumento do consumo de fibras.

DICA 16: EXPERIMENTE LANCHES RICOS EM FIBRAS PARA SE MANTER EM FORMA

Frutas e hortaliças; bolachas de grãos integrais, pães e cereais integrais; sopas e sucos de hortaliças; nozes e frutas secas; e pipoca são lanches ricos em fibras que não engordam e satisfazem o apetite.

Fique longe de opções que contêm carboidratos refinados, como biscoitos recheados, salgadinhos industrializados e doces. Os açúcares refinados aumentam o apetite ao elevar os níveis de glicose e insulina e ajudam a armazenar gordura no abdômen, nas nádegas e nas coxas.

Da próxima vez que você for fazer um lanche, escolha uma opção que o satisfaça sem deixá-lo empanzinado.

- Sopas de hortaliças são um excelente lanche no meio da tarde, pois auxiliam no controle do apetite. Se você não tiver tempo de prepará-las, opte pelas de saquinho. Mas atenção: fique longe das versões cremosas, que contêm mais gordura.
- Os sucos de hortaliças são uma excelente opção, dada a sua alta concentração de fibras, nutrientes essenciais, vitaminas e minerais.
- Frutas e hortaliças são ideais como lanche, pois possuem fibras, são nutritivas, saciam a fome e podem ser levadas para qualquer

lugar. Outra ótima opção são as frutas secas, como figo, ameixa e damasco, porque têm pouca quantidade de calorias e gordura e são ricas em fibras, vitaminas e minerais. Além disso, contêm muitos nutrientes essenciais, como vitaminas do complexo B, potássio, ácido fólico, magnésio e ferro.

- Para uma dose extra de energia, procure ingerir uma combinação de proteína magra com alimentos ricos em fibras. Como você verá mais adiante, esse tipo de associação aumenta o nível de energia e ajuda a manter bem longe os indesejados quilos extras. Uma opção deliciosa é cobrir bolacha salgada, pão integral ou pão árabe integral com queijo light. Experimente também incrementar uma fatia de pão de trigo integral com peito de peru defumado ou queijo light. E mantenha distância dos alimentos industrializados carregados de gorduras trans.
- Os cereais ricos em fibras são lanches saborosos que podem ser levados com facilidade para qualquer lugar. Adicione frutas secas para torná-los ainda mais nutritivos e gostosos. Até mesmo as variedades levemente adocicadas podem ser usadas, desde que sejam integrais, ricas em fibras e não contenham muito açúcar nem gordura. Verifique se o cereal tem pelo menos 5g ou mais de fibras alimentares.

DICA 17: FIQUE BEM NUTRIDO COM ALIMENTOS RICOS EM FIBRAS

Veja a seguir alguns dos alimentos ricos em fibras que mais aprecio. Eles proporcionam muitos benefícios nutricionais, além de serem deliciosos.

- Espinafre e hortaliças de folhas verde-escuras têm poucas calorias e garantem uma sensação de saciedade mais duradoura, graças ao seu alto teor de fibras. Além disso, como sua ingestão é mais lenta, o cérebro tem tempo de registrar a sensação de satisfação antes que você comece a se empanturrar de calorias. As hortaliças de folhas verde-escuras também contêm vários fitonutrientes, antioxidantes e vitaminas do complexo B que ajudam a prevenir câncer, problemas cardíacos e doenças neurológicas degenerativas.

- O tomate produz um aminoácido chamado carnitina, que aumenta a taxa metabólica basal (TMB), fazendo com que o organismo queime gordura mais depressa. Todos os produtos elaborados com essa hortaliça - do ketchup ao molho - são excelentes para quem deseja emagrecer. O tomate possui também grandes quantidades de vitamina C e de um antioxidante chamado licopeno, que ajuda a prevenir diversos tipos de câncer, inclusive os de mama e próstata. A combinação de vitamina C com licopeno contribui igualmente para a prevenção do acúmulo de colesterol na corrente sanguínea.
- O feijão tem alto teor de fibras - elementos que ajudam a reduzir a absorção de gordura e calorias pelo trato intestinal e a controlar o apetite, pois proporcionam maior sensação de saciedade. Os feijões contêm muito potássio e pouco sódio, o que favorece a diminuição do risco de hipertensão e derrame.
- Ao contrário do que diz a crença popular, a batata-doce é uma excelente fonte de vitaminas e minerais, por isso é considerada um bom carboidrato. Graças ao seu alto teor de fibras e ao seu valor nutricional, ela é um alimento excelente em qualquer programa de redução de peso. É, ainda, uma boa fonte de vitamina C, vitaminas do complexo B, ácido fólico, potássio, vitamina A e betacaroteno. Esses nutrientes, combinados com seus fitoesteróis (ou esteróis vegetais) são poderosos antioxidantes que ajudam a baixar o colesterol e o risco de doenças cardíacas. Quando é consumida com a casca, a batata-doce é uma boa fonte de fibras solúveis e não solúveis.
- O aspargo é uma preciosa fonte de potássio, ácido fólico, betacaroteno, vitamina C e glutationa, antioxidante que ajuda a combater os terríveis radicais livres que podem danificar as células normais. É um ótimo aliado em qualquer dieta, pois tem poucas calorias e é rico em fibras e nutrientes. Cozido no vapor, é excelente para ser consumido sozinho ou em saladas. As sobras têm que ser levadas de imediato à geladeira ou ao congelador para evitar a perda do seu valor nutricional. O aspargo deve ser assado ou levemente cozido no vapor. Se fervido por muito tempo, a água destrói a maioria dos seus nutrientes.
- O pimentão - tanto o vermelho quanto o verde e o amarelo - é uma ótima fonte de vitamina C, vitamina A, betacaroteno, vitaminas do

complexo B, potássio e ácido fólico. Tem poucas calorias e é rico em fibras, por isso é um alimento indicado para quem deseja emagrecer. Por ser tão saboroso, agrada ao paladar e ajuda a reduzir o apetite. Contém antioxidantes que auxiliam na prevenção de coágulos sanguíneos, contribuindo assim para evitar infarto e derrame.

- As pimentas picantes possuem quantidades maiores de antioxidantes do que os pimentões, assim como fitonutrientes que favorecem a prevenção de alguns tipos de câncer. Essas pimentas contêm capsaicina, substância que, além do seu sabor forte, lhes garante propriedades anti-inflamatórias que ajudam a aliviar dores decorrentes de artrite e de inflamações nos nervos.

DICA 18: PERCA PESO COM PROTEÍNA MAGRA

O acréscimo de proteína magra à alimentação causa uma espécie de curto-circuito na região do cérebro que controla o apetite, diminuindo a fome. Como o organismo leva mais tempo para digerir proteína do que para digerir gordura e carboidratos refinados, esse alimento faz com que a elevação nos níveis de açúcar no sangue (glicose) seja gradual, o que, por sua vez, provoca um aumento apenas moderado nas taxas de insulina e sacia a fome.

É fácil acrescentar proteína magra à dieta. Entre as boas fontes desse alimento estão:

- Peixes e aves sem a pele, além de carnes magras, como a de cordeiro e a de porco, que, em comparação com alguns cortes de carne bovina, apresentam um teor menor de gordura.
- Laticínios desnatados e semidesnatados, entre os quais leite, queijo e iogurte.
- Clara de ovo.
- Proteínas vegetais, como nozes, feijões, leguminosas e tofu.

Quando está numa dieta de baixas calorias, o organismo precisa de mais proteína para a produção de energia e manutenção das células. Ingira uma pequena quantidade de proteína em cada refeição para fornecer ao corpo os elementos básicos necessários ao metabolismo. A proteína pode ajudar a satisfazer a fome por um período extenso porque o organismo leva muito mais tempo para digeri-la e absorvê-la do que para processar gorduras saturadas e carboidratos refinados. Proteínas como as que existem no cheesebúrguer, no cachorro-quente e no bacon, no entanto, são ricas em gorduras e pouco saudáveis e, por isso, devem ser ingeridas com moderação.

DICA 19: ATINJA UM EQUILÍBRIO SAUDÁVEL

Combinando proteína magra com carboidratos complexos ricos em fibras, você se sentirá saciado pouco depois de começar a comer e permanecerá assim por mais tempo. Quanto mais balanceada for a refeição, menos fome você terá depois.

Alimentos como a batata-inglesa e os carboidratos refinados, entre os quais produtos de confeitaria, pães e arroz branco, todos os cereais e massas com poucas fibras, bem como sobremesas açucaradas, são decompostos rapidamente no trato intestinal e absorvidos depressa pela corrente sanguínea na forma de glicose. Essa brusca elevação nas taxas de glicose causa um súbito aumento nos níveis de insulina e, com isso, logo a fome volta a atacar.

A elevação que a proteína provoca nas taxas de glicose, porém, é gradativa. E isso faz com que os níveis de insulina subam de maneira moderada. Quando alimentos ricos em fibras são misturados com proteína, o metabolismo processa essa combinação bem mais devagar do que faria com as fibras e a proteína separadamente. A sensação de saciedade surge mais depressa e se mantém por mais tempo, o que ajuda a reduzir o consumo de calorias. O acréscimo de proteína magra a um alimento rico em fibras garante que você estará livre da fome até a próxima refeição e não sentirá vontade de comer em excesso quando estiver à mesa de novo.

Para equilibrar as refeições, prefira os carboidratos complexos ricos em fibras e pobres em açúcar. Entre eles estão pães, cereais e massas de grãos integrais, frutas, hortaliças, nozes e leguminosas. Enriqueça o cardápio com pequenas quantidades de proteína, como carnes magras, aves e peixes sem a pele, clara de ovo, nozes, feijões, tofu e laticínios desnatados, semidesnatados e light, como leite, queijo (inclusive o cottage), iogurte e creme de leite.

DICA 20: COMA PROTEÍNA PARA TER MAIS ENERGIA E MENOS FOME

A proteína é encontrada em todas as células do organismo. É um nutriente essencial, responsável pela manutenção e pelo reparo dos órgãos, dos tecidos, dos músculos, do cérebro e dos ossos. Essa "caixa de ferramentas" individual regula tudo, da circulação sanguínea e do metabolismo ao sistema imunológico.

Todos os alimentos são fontes de energia. A proteína, porém, tem grande poder nesse aspecto porque é absorvida devagar. Por esse motivo, produz um suprimento mais duradouro de energia, o que é extremamente importante para um estilo de vida saudável e ativo. Gorduras e carboidratos proporcionam picos rápidos de energia, mas não um fornecimento constante, pois são digeridos e metabolizados mais depressa do que a proteína. E mais: tendem a ser armazenados pelo organismo na forma de gordura para uso posterior.

Quem tem deficiência de proteína possui um sistema imunológico mais fraco do que quem consome o tipo adequado desse alimento. Além disso, as pessoas que sofrem o efeito sanfona – provocado pela realização de repetidas dietas em que emagrecem e depois recuperam o peso – costumam se tornar deficientes em proteína e apresentam um sistema imunológico menos resistente. Cientistas descobriram que esses indivíduos têm cerca de 1/3 a menos das chamadas "células matadoras naturais" (do inglês *natural killer cells*) do que o normal. Essas células são imprescindíveis para que o sistema imunológico funcione com eficiência.

Para obter os benefícios dos alimentos ricos em proteína e evitar a gordura saturada desnecessária, coma proteína magra, como carnes bovina e suína sem gordura, peixes e aves sem a pele, frutos do mar, clara de ovo, laticínios desnatados e semidesnatados, leguminosas, feijões, nozes com gorduras benéficas e alimentos à base de soja. As proteínas magras são também excelentes fontes de selênio, um mineral que protege o organismo da ação dos radicais livres, que podem danificar vários tipos de células, como as do tecido conjuntivo, causando inflamação nas articulações e nos músculos.

As proteínas que contêm gordura saturada, como carnes gordurosas, queijos amarelos, laticínios integrais, gema de ovo, maionese, frios e carnes defumadas, como bacon e alguns embutidos, não são fontes ideais de energia e devem ser evitadas. Os efeitos negativos causados pela gordura saturada - doenças cardíacas, derrame, hipertensão arterial, colesterol alto e determinados tipos de câncer - são superiores ao potencial benéfico que a proteína poderia ter. Por isso, essas proteínas não são recomendadas em nenhum programa saudável de emagrecimento.

A proteína magra é o alimento que exerce o maior poder sobre o controle do apetite. Acrescentando uma porção pequena desse tipo de proteína à refeição, você ficará sem fome durante horas. Outra vantagem é que ela tem menos calorias do que muitos alimentos, sobretudo do que as proteínas com gordura saturada e os carboidratos refinados. A gordura saturada impede que a região do cérebro que controla o apetite suspenda sua atividade.

NÃO EXAGERE NO CONSUMO DE PROTEÍNA

Para que o organismo funcione de modo eficiente, 15 a 30% do total diário de calorias ingeridas deve vir das proteínas. Comer proteína em excesso, acima desses 30%, pode ser perigoso porque sobrecarrega os rins. Essa é uma das razões para se manter longe das dietas pobres em carboidratos e ricas em proteínas com gordura saturada.

DICA 21: SAIBA ESCOLHER AS MELHORES PROTEÍNAS

Com todas as informações que existem hoje em dia sobre o que se deve ou não comer - determinadas dietas proíbem carboidratos, enquanto outras excluem a gordura -, é difícil saber o que de fato é bom para a saúde. Veja a seguir algumas regras básicas para fazer boas escolhas que podem ajudar você a emagrecer.

CARNE

Como a carne bovina contém níveis elevados da nociva gordura saturada, uma boa norma é ingeri-la apenas uma vez por semana.

- Ao comer carne, prefira os cortes magros ou extramagros, cujo teor de gordura é ligeiramente menor.
- Evite bacon, linguiças, salsichas e frios gordurosos.
- Antes de cozinhar a carne, remova a gordura.
- Evite miúdos, ou vísceras (como miolo, fígado, rim, etc.), que contêm muito colesterol e gordura saturada.

AVES

Frango e peru são boas fontes de proteína e uma alternativa com pouca gordura para a carne bovina.

- Retire sempre a pele antes de cozinhar a carne, pois a gordura que ela contém é absorvida durante o processo de cozimento.
- Prefira as carnes brancas, pois elas são menos gordurosas do que as carnes escuras.
- Se possível, opte pelo frango orgânico, que não apresenta substâncias químicas nem hormônios e, portanto, é mais saudável.
- O peito de peru, pobre em gordura, pode ser usado em saladas e sanduíches saudáveis e ricos em proteína.
- Evite cortes de frango empanados e fritos, bem como os *nuggets*, que possuem altas concentrações de gordura saturada e de gordura trans.
- Não coma vísceras, como o fígado, também ricas em colesterol e gordura saturada.

PEIXES

O peixe é uma excelente fonte de proteína, contém pouca gordura saturada e pouco colesterol. Além disso, possui ácidos graxos ômega-3, benéficos para o coração. Os peixes mais gordurosos, como atum, salmão, sardinha, arenque e hadoque, são especialmente ricos nesses ácidos. Camarão, lagosta, siri e outros frutos do mar contêm muito colesterol, mas seu teor de gordura total é baixo, portanto não costumam elevar o colesterol no sangue quando consumidos com moderação.

- Coma peixe assado na brasa ou no forno, cozido no vapor ou grelhado, mas nunca empanado. Acrescente condimentos e limão para realçar o sabor.
- Limite a ingestão de peixes grandes, como espadarte, atum e tubarão, pois podem ter um elevado teor de mercúrio. A recomendação se aplica sobretudo a grávidas e lactantes.

LATICÍNIOS

Os laticínios fornecem ao organismo dois elementos essenciais: proteína e cálcio.

- Beba leite desnatado. O leite semidesnatado contém quase tanta gordura quanto o integral.
- Prefira os queijos com pouca gordura, como cottage, queijo de cabra, mozarela light e queijos suíços light. Limite a ingestão de queijos industrializados e gordurosos, como cheddar, brie e roquefort.
- Evite a manteiga comum porque ela é rica em gordura saturada. A margarina, por sua vez, também não é saudável, pois apresenta alto teor de gorduras poli-insaturadas parcialmente hidrogenadas. Já existe a manteiga light - use-a com parcimônia.
- Iogurte, creme de leite e requeijão possuem grande concentração de proteína. Prefira os desnatados, semidesnatados e light. Se possível, acrescente frutas ao iogurte para deixá-lo mais nutritivo.

OUTRAS FONTES DE PROTEÍNA

Os ovos são excelentes fontes de proteína, sobretudo a clara, que, ao contrário da gema, é livre de colesterol. A ingestão de dois ou três ovos inteiros por semana é admitida em uma dieta saudável, e a gema contém muitos nutrientes benéficos. A clara é um bom substituto para os ovos inteiros. Consumidos com hortaliças frescas, esses alimentos proporcionam uma refeição nutritiva, com pouca gordura e muita proteína. Ao prepará-los, use uma pequena quantidade de azeite de oliva em vez de manteiga ou margarina.

Leite de soja, tofu e *tempeh* são ricos em proteína e possuem fitonutrientes. Muitos desses alimentos contêm isoflavonas saudáveis, que apresentam propriedades semelhantes às do estrogênio e podem ter efeitos positivos sobre os sintomas da menopausa, além de ajudarem a reduzir as gorduras no sangue. As isoflavonas da soja decompõem a gordura armazenada nas células adiposas e contribuem para reduzir o risco de doenças cardíacas.

DICA 22: BEBA LEITE PARA QUEIMAR GORDURA E ARMAZENAR PROTEÍNA

A combinação especial de cálcio com a proteína que está presente no leite, no iogurte e no queijo ajuda o organismo a queimar gordura e armazenar proteína. Os laticínios com baixo teor de gordura estimulam o metabolismo, fazendo com que os músculos queimem mais calorias, além de bloquearem o acúmulo de gordura no corpo. A ingestão de pelo menos 1.000mg de cálcio por dia diminui o risco de infarto e derrame, elevando o bom colesterol (HDL) e baixando o mau colesterol (LDL). Ao mesmo tempo, a proteína do leite, do iogurte e do queijo substitui a gordura armazenada nas células, o que ativa todas as funções metabólicas das células, dos tecidos e dos órgãos.

Consumir dois copos de leite desnatado ou duas xícaras de iogurte por dia, assim como ingerir uma porção de queijo light diariamente, ajuda a emagrecer sem que seja necessário cortar calorias. Estudos mostram que as pessoas que tomam leite desnatado e iogurte com regularidade perdem em média cerca de 700g por mês sem realizar nenhuma outra mudança na alimentação. O leite desnatado, os queijos light e o iogurte semidesnatado ou desnatado têm o mesmo conteúdo de minerais, vitaminas, proteínas e cálcio que o leite integral, sem o teor de gordura. De forma geral, o leite desnatado apresenta 220mg de cálcio e apenas 80 calorias por copo.

Não há lanche melhor do que um copo de leite desnatado, capaz de reduzir o colesterol e a circunferência da cintura. Outros alimentos ricos em cálcio e que queimam gordura são os queijos tofu e cottage light, o espinafre, a couve e sucos enriquecidos com cálcio.

DICA 23: USE A PROTEÍNA PARA VENCER A VONTADE DE COMER À NOITE

Há uma doença chamada síndrome da fome noturna que, na realidade, é um tipo de distúrbio alimentar. Os portadores desse problema acordam muitas vezes durante a noite e não conseguem dormir se não comerem alguma coisa, em geral comida não saudável, o que os impede de voltar a adormecer. Há outro transtorno do gênero que se chama distúrbio alimentar relacionado ao sono, ou DARS. Nesse caso, as pessoas caminham dormindo até a cozinha para se empanturrar de comida. Nas duas situações, o desejo é por alimentos nocivos à saúde, o que pode frustrar as tentativas de manter uma alimentação balanceada. Esses dois distúrbios alimentares prejudicam a qualidade do sono e requerem tratamento médico.

Talvez esses transtornos pareçam extremos, mas eles existem também em variações mais brandas, capazes de impedir muitas pessoas saudáveis de seguir um programa de emagrecimento. Indivíduos sob estresse podem desenvolver formas mais suaves desses dois distúrbios alimentares. Há também quem apenas adquira o hábito de comer à noite, um condicionamento que se torna muito difícil de eliminar.

Na maioria das vezes, os lanches noturnos se compõem apenas de alimentos prejudiciais à saúde, como biscoitos e bolos, que são ricos em calorias, gordura e açúcar. A ingestão desses carboidratos refinados eleva temporariamente os níveis de açúcar no sangue (glicose), fazendo com que o comedor noturno consiga dormir. No entanto, quase sempre ele volta a acordar em decorrência da subsequente queda nas taxas de glicose, que o deixa faminto de novo.

O melhor remédio para as pessoas que apresentam as formas mais suaves do distúrbio alimentar noturno é fazer um pequeno lanche rico em proteína magra. Por exemplo, elas podem escolher entre uma fatia de queijo light, um punhado de nozes, um copo de leite desnatado ou leite de soja, uma xícara de iogurte desnatado ou mesmo uma fatia de peru. Todas essas opções satisfazem a fome. São alimentos com pouca gordura, ricos em proteína, demoram mais para serem digeridos do que os carboidratos e ajudam a quebrar o círculo vicioso da comilança de bombas calóricas à noite.

Contanto que você faça um lanche pobre em calorias e com alta concentração de proteína, o fato de comer tarde da noite não o fará engordar. Calorias são calorias, não importa quando são consumidas. Lembre-se de que o que conta é a quantidade total de calorias ingeridas em um período de 24 horas, e não a hora do dia em que elas entram no seu estômago. Mas a comilança noturna que envolve muitas calorias, gorduras e açúcar refinado certamente acaba com qualquer dieta e pode, sim, fazer você ganhar peso.

DICA 24: EXPERIMENTE SABOROSOS LANCHES PROTEICOS

Veja a seguir uma lista de sugestões de lanches ricos em proteínas. São maneiras saudáveis de satisfazer o apetite.

- Vitaminas preparadas com 1 xícara de leite desnatado, gelo e a fruta de sua preferência - banana, morango, mirtilo e pêssego são ótimas opções.
- Uma fatia de pizza de trigo integral com cobertura de queijo light e muitas hortaliças.
- Talos de cenoura ou de aipo mergulhados em um molho picante ou em um molho light para salada.
- Sessenta gramas de salmão ou de frango grelhado com uma salada de folhas mistas. Use o molho de sua preferência, mas que seja pouco calórico.
- Duas fatias de queijo light e tomate como recheios de um pão árabe integral.
- 1 xícara de queijo cottage light ou de iogurte desnatado com a fruta de sua escolha.
- Uma salada Caesar pequena, preparada com alface, queijo parmesão ralado, 30g de peito de frango grelhado. À parte, o molho light para salada Caesar.
- Atum misturado com queijo light sobre uma fatia de pão integral.
- Duas fatias de peito de peru light sobre uma fatia de pão integral com maionese ou mostarda light, alface e tomate.

- Trinta gramas de nozes variadas (castanhas, amêndoas, amendoim) e uma caixa pequena de passas.
- Um ovo cozido ou poché sobre uma fatia de pão integral.

DICA 25: CONHEÇA A DIFERENÇA ENTRE GORDURAS BENÉFICAS E GORDURAS PREJUDICIAIS

De acordo com as atuais orientações na área nutricional, não mais do que 30% do total diário de calorias ingeridas deve vir da gordura. Além de causar aumento de peso, a gordura eleva o risco de doenças cardíacas, derrame, diabetes e hipertensão arterial. Isso não quer dizer que toda gordura seja prejudicial à saúde. Os alimentos contêm diversos tipos de gordura, e alguns deles são melhores do que outros. Veja a seguir informações gerais sobre gorduras altamente benéficas, não tão benéficas, prejudiciais e inteiramente nocivas.

AS GORDURAS ALTAMENTE BENÉFICAS

As gorduras monoinsaturadas são, de longe, as melhores. Líquidas em temperatura ambiente, estão presentes no azeite de oliva, nos óleos de amendoim e canola, no abacate e na maioria das nozes. Essas gorduras reduzem o nível do colesterol total no sangue, aumentam a taxa do bom colesterol (HDL) e baixam o mau colesterol (LDL). Para emagrecer e se manter saudável, use-as no lugar das gorduras não tão benéficas, como as poli-insaturadas, que você conhecerá a seguir.

AS GORDURAS NÃO TÃO BENÉFICAS

As gorduras poli-insaturadas costumam ser líquidas. Feitas de vegetais, entre elas estão os óleos de milho, açafrão, girassol e algodão. São benéficas apenas em pequenas quantidades, pois assim auxiliam na redução do colesterol. Quando consumidas em excesso, tornam-se prejudiciais porque podem causar uma reação inflamatória nos tecidos orgânicos e impedir o funcionamento adequado do sistema imunológico.

A natureza dessas gorduras é paradoxalmente boa e prejudicial porque elas contêm ácidos graxos ômega-6, que ajudam a reduzir o colesterol no sangue se ingeridos em pequenas quantidades. Contudo, quando o consumo é maior, sua absorção pela corrente sanguínea aumenta, fazendo com que as células assimilem mais colesterol e gordura saturada. O segredo está em usar essas gorduras com moderação.

AS GORDURAS PREJUDICIAIS

Em geral, as gorduras saturadas são sólidas e podem ser consideradas ruins, pois o organismo as utiliza para produzir o colesterol LDL, que obstrui as artérias e causa infarto, derrame e diabetes. Essas gorduras são provenientes basicamente de fontes animais, como carne e laticínios integrais, entre os quais leite, queijo e manteiga. Algumas delas são encontradas também em óleos tropicais, como o de coco, a manteiga de cacau e o azeite de dendê.

Os triglicerídios são outro tipo de gordura prejudicial. Quando comemos quantidades excessivas de produtos preparados com açúcar refinado (bolos, tortas, doces, itens de confeitaria e refrigerantes, por exemplo), ingerimos outros alimentos que engordam ou tomamos muita bebida alcoólica, o fígado transforma esse excesso de calorias em triglicerídios - gorduras que estão associadas à obstrução das artérias que levam sangue ao coração e ao cérebro.

AS GORDURAS INTEIRAMENTE NOCIVAS

As gorduras trans são, provavelmente, as piores que existem. São produzidas quando as gorduras poli-insaturadas dos óleos vegetais passam pelo processo de hidrogenação, isto é, quando átomos de hidrogênio são adicionados às moléculas da gordura poli-insaturada. Essas gorduras elevam os níveis do mau colesterol (LDL) no sangue e reduzem os níveis do bom colesterol (HDL).

As gorduras trans também podem aumentar o risco de infarto, derrame e diabetes. Novos estudos indicam que elas são capazes, ainda, de elevar os níveis de um componente celular denominado fator de necrose tumoral, considerado um indicador de risco para diabetes, resistência à insulina, doenças coronarianas, insuficiência cardíaca e alguns tipos de câncer.

Essas gorduras estão presentes em produtos de confeitaria, biscoitos recheados, bolachas, batata frita, margarina e gordura vegetal. Para evitá-las, deixe de consumir todo produto que contenha a palavra "hidrogenada" no rótulo. Veja a seguir uma lista com alguns dos alimentos que contêm grande concentração de gordura trans:

- Margarina
- Bolos e biscoitos industrializados
- Barras de cereais e energéticas
- Bolachas, batata frita de saquinho e *pretzels*
- Sopas e molhos enlatados
- Fast-food (hambúrguer, batata frita e outras frituras)
- Refeições congeladas
- Misturas para bolos, tortas e biscoitos

Em meados da década de 1950, fabricantes de alimentos começaram a usar as gorduras hidrogenadas no lugar das gorduras saturadas acreditando que elas seriam mais saudáveis. Além disso, passaram a adicioná-las aos alimentos para que eles se preservassem por mais tempo nas prateleiras, assim como fazem os conservantes. Desde então, descobriu-se que as gorduras hidrogenadas são tão ruins quanto as saturadas ou até piores. Quem deseja ter uma alimentação saudável deve evitá-las ao máximo.

DICA 26: GORDURA ENGORDA!

Enquanto a proteína e os carboidratos fornecem ao organismo quatro calorias por grama, 1g de gordura alimentar o abastece com nove calorias. A gordura é, portanto, o tipo de alimento que mais engorda.

O ganho de peso ocorre quando o consumo de calorias na forma de gorduras alimentares é maior do que a quantidade de calorias queimadas como combustível para geração de energia. Em uma dieta pobre em gordura, as calorias são retiradas do estoque armazenado nas células adiposas e adicionadas à mistura de proteínas e carboidratos usada como combustível para a produção de energia, o que proporciona um emagrecimento constante. A equação é simples: quanto menos gordura ingerimos, maior a queima da gordura armazenada para utilização como combustível. Por outro lado, quanto mais gordura consumimos, menor é a sua queima e maior é o seu acúmulo no abdômen, nas nádegas, nas coxas e nos quadris. Em outras palavras, é a gordura que comemos que nos faz ganhar quilos extras.

Como cerca de 500g de gordura corporal contém aproximadamente 3.500 calorias, é evidente que a única maneira de perder 500g de peso é queimar 3.500 calorias a mais do que ingerimos. E só podemos fazer isso reduzindo o total de calorias provenientes da gordura na alimentação e/ou praticando mais atividades físicas. Não há outra saída.

Reduzir a quantidade de gordura saturada na alimentação proporciona mais dois benefícios: ajuda a controlar e manter o peso e contribui para a prevenção de infarto e derrame. Esses problemas estão associados a níveis elevados de colesterol no sangue, que são decorrentes do consumo excessivo de gorduras saturadas.

DICA 27: SAIBA MAIS SOBRE OS LIPÍDIOS

O termo lipídio inclui todas as gorduras e substâncias semelhantes à gordura que circulam na corrente sanguínea. Por não se dissolverem na água, são chamadas de lipossolúveis. Sendo assim, como podem ser absorvidas pelo sangue se ele é uma solução aquosa? Os lipídios precisam se ligar a algumas proteínas presentes no sangue para que consigam se dissolver nele. Daí em diante, são chamados de lipoproteínas - uma associação de gordura e proteína. Os dois tipos principais de lipídios que se agregam à proteína são o colesterol e os triglicerídios. Essas combinações de lipoproteínas são classificadas com base em sua densidade na corrente sanguínea.

COLESTEROL

O colesterol é um elemento essencial de todas as membranas celulares animais e forma a estrutura dos hormônios e dos ácidos biliares do organismo. No entanto, se os seus níveis se elevarem excessivamente na corrente sanguínea, eles podem se tornar muito perigosos. Há três tipos importantes de colesterol que devem ser levados em consideração para se ter saúde.

- O colesterol total corresponde à quantidade total de colesterol presente no sangue. É determinado pelo somatório de todo o colesterol e de toda a gordura que consumimos e mais a quantidade de colesterol produzido pelo fígado.

- O colesterol LDL (*low-density lipoprotein*), lipoproteína de baixa densidade, é o vilão da história. É o tipo com maior probabilidade de obstruir as artérias e causar infarto e derrame. O LDL se origina principalmente da ingestão exagerada de gorduras saturadas e de alimentos com alto teor de colesterol. Uma dieta pobre em gordura e rica em fibras, associada à prática regular de exercícios, costuma reduzir a taxa de LDL. No caso de muitas pessoas, contudo, um nível elevado desse colesterol pode ser de natureza genética e tem pouco ou nada a ver com a alimentação. Nesses casos, a taxa de LDL só pode ser controlada com remédios, por isso é necessário consultar um médico.
- O colesterol HDL (*high-density lipoprotein*), lipoproteína de alta densidade, é o chamado bom colesterol. Sua ação, oposta à do LDL, ajuda a evitar a formação dos depósitos de gordura nas artérias. Isso acontece quando o HDL recolhe o excesso de mau colesterol no sangue antes que ele tenha a chance de obstruir as artérias. O LDL é então transportado para o fígado e dali é eliminado do organismo. Relatórios médicos revelam que o colesterol HDL pode de fato eliminar o LDL dos depósitos (placas) que já estejam instalados nas artérias.

O que fazer para conseguir um pouco do bom colesterol? Como sempre, não é tão simples assim. Em primeiro lugar, a hereditariedade desempenha um papel importante na produção do HDL. Algumas pessoas o têm em maior quantidade do que outras apenas por um fator genético. Em segundo lugar, deixar de comer alimentos que contêm gorduras saturadas e colesterol influi muito pouco no aumento do HDL. Contudo, ingerir gorduras monoinsaturadas benéficas para o coração, como azeite de oliva e nozes, além de ácidos graxos ômega-3, encontrados em peixes como o salmão e o atum, eleva o HDL. A prática regular de exercícios de intensidade moderada, como a caminhada, também ajuda na obtenção desse resultado, enquanto o sedentarismo e o tabagismo reduzem de forma significativa os níveis do bom colesterol. Muitas vezes, pessoas que não conseguem baixar o LDL e elevar o

HDL por meio da alimentação e da prática de exercícios precisam recorrer a um médico para que possam fazer uso de medicação.

TRIGLICERÍDIOS

Os triglicerídios são os principais lipídios presentes no sangue. Por consistirem em uma combinação menos densa de gordura e proteína, são chamados de lipoproteínas de baixíssima densidade (*very low-density lipoproteins*), ou VLDL. Têm uma ação importante na transferência da energia dos alimentos que ingerimos para as células e, consequentemente, ajudam a regular o metabolismo celular.

Muitas vezes, grandes quantidades de triglicerídios causam diabetes, intolerância à glicose, obesidade, gota e doença coronariana. Em alguns casos, o alto nível de triglicerídios se deve a uma causa genética; em outros, porém, decorre da ingestão excessiva de carboidratos refinados, açúcares, gorduras saturadas e álcool. A principal maneira de controlar o excesso de triglicerídios é restringindo o consumo desse tipo de alimento.

Está provado que uma alimentação rica em fibras, com cereais e pães de grãos integrais, feijões e outras leguminosas, frutas e hortaliças, reduz a taxa de triglicerídios. Também já foi constatado que a adoção de um programa regular de exercícios aeróbicos, como caminhada, é eficaz nesse sentido. No entanto, assim como acontece com o colesterol alto, em algumas situações esse problema tem que ser tratado com medicação.

NÃO SE TRATA DE FORÇA DE VONTADE, E SIM DO EXCESSO DE TRIGLICERÍDIOS

Estudos mostram que pode ser o alto nível de triglicerídios, e não a falta de força de vontade, o culpado pelo desejo de comer demais. Quem tem uma taxa elevada desses lipídios tem dificuldade de controlar o apetite. Parece que o excesso de triglicerídios no sangue bloqueia a formação do hormônio leptina, que inibe o apetite e proporciona a sensação de saciedade. Isso gera um círculo vicioso: quanto maior o consumo de açúcares refinados e gorduras saturadas, mais alta se torna a taxa de triglicerídios, o que interrompe a produção da leptina, impedindo que a pessoa se sinta saciada. E o que ela faz em seguida? Come mais açúcar refinado e gordura saturada. O único meio de romper esse círculo é, em primeiro lugar, restringir drasticamente a ingestão dos alimentos que causam a elevação dos trigliceridios, pois assim a leptina não é bloqueada. Quando esse hormônio é secretado na corrente sanguínea, a fome é controlada, a pessoa se sente satisfeita e para de comer no momento adequado. Reduzir o consumo de gordura saturada ajuda a baixar a taxa de triglicerídios, mas não tanto quanto limitar a ingestão de açúcares e carboidratos refinados. Outra medida positiva nesse sentido é tomar menos bebidas alcoólicas e intensificar a prática de exercícios aeróbicos.

DICA 28: COMA MUITOS ALIMENTOS COM ÔMEGA-3 – ELES SÃO BONS PARA O CORAÇÃO

O American Institute for Cancer Research recomenda que as pessoas comam mais alimentos que contêm ácidos graxos ômega-3 e menos alimentos que possuem ácidos graxos ômega-6. Os primeiros fazem bem ao coração, reduzem os níveis de colesterol e de triglicerídios, evitam coágulos sanguíneos e auxiliam na prevenção de infarto, derrame e distúrbios neurológicos, como o mal de Alzheimer. Além disso, ajudam a inibir os cânceres de mama e cólon. São encontrados nos óleos de peixe, nas nozes, nas sementes de linhaça, no espinafre, no brócolis, na couve, no óleo de canola e no azeite de oliva.

UM SEGREDO PARA GARANTIR A SAÚDE DO CORAÇÃO

O peixe é um excelente alimento: é pobre em calorias e gordura saturada, é rico em proteína e contém os ácidos graxos ômega-3, que protegem o coração e combatem o câncer.

Até mesmo os frutos do mar, com seu teor mais elevado de colesterol, são alimentos importantes para a queima de gordura em uma dieta. Sua reduzida quantidade de gordura saturada compensa o colesterol que contêm.

O óleo de peixe ajuda a baixar a taxa de gordura no sangue e, consequentemente, a retardar a formação dos depósitos de colesterol nas artérias. Em um estudo na Universidade de Chicago, macacos submetidos a uma dieta rica em óleo de peixe desenvolviam menos placas de colesterol nas artérias do que os que recebiam uma alimentação rica em gorduras saturadas e óleo de coco. Os animais que comiam óleo de peixe apresentavam também níveis de colesterol total e de colesterol LDL mais baixos do que aqueles que ingeriam gordura saturada.

Uma pesquisa realizada na Harvard Medical School parece indicar que os óleos de peixe possuem também um fator inibidor do câncer. Em um estudo com camundongos portadores de câncer de mama, os óleos de peixe pareceram exercer um efeito muito maior para diminuir a disseminação da doença do que as dietas ricas em gorduras saturadas e em gorduras poli-insaturadas e, mais ainda, do que uma dieta apenas pobre em gordura. Outras pesquisas promovidas por conceituadas universidades revelam, ainda, que os ácidos graxos ômega-3 ajudam a evitar a agregação plaquetária, reduzindo assim a tendência à formação de coágulos. Entre os esquimós e os japoneses, que consomem muito peixe, não é frequente a ocorrência de infarto causado pela obstrução das artérias.

Descobriu-se também que os ácidos graxos ômega-3 presentes no óleo de peixe são essenciais para o funcionamento do cérebro. Estudos revelam que a carência desses ácidos pode ser responsável por problemas de aprendizado, falhas de memória, dificuldade de concentração e algumas doenças degenerativas, como o mal de Alzheimer. Uma pesquisa mostrou que o declínio de memória relacionado à idade foi interrompido ou consideravelmente retardado em mulheres que ingeriam de 90 a 120g de peixe todos os dias. Novas descobertas indicam que os óleos de peixe podem ajudar até mesmo no tratamento da depressão e de outros transtornos neurológicos e psiquiátricos.

Coma peixe duas ou três vezes por semana para ter um coração saudável e manter a boa forma física. Salmão, sardinha, truta e arenque são especialmente ricos em ácidos graxos ômega-3. Apesar dos relatos de que o salmão criado em cativeiro pode conter mais substâncias químicas do que o salmão selvagem, o American Institute for Cancer Research afirma que os benefícios da ingestão de peixe, seja ele selvagem, seja de criadouro, compensam os riscos.

PEIXES E METILMERCÚRIO

Como alguns peixes estão contaminados com altas taxas de metilmercúrio, é importante obter a maior parte dos ácidos graxos ômega-3 por meio da ingestão daqueles que estiverem livres dessa substância.

Lembre-se, porém, de que comer peixes com baixos níveis de mercúrio compensa pelos benefícios que os nutrientes desse alimento proporcionam à saúde. Tenha cuidado especial ao consumir cápsulas de óleo de peixe, que podem conter grandes quantidades de mercúrio.

As melhores opções de peixes e frutos do mar

De acordo com a Food and Drug Administration (FDA) - agência de controle de alimentos e medicamentos do governo americano -, os peixes e frutos do mar listados a seguir são considerados os melhores e contêm os níveis mais baixos de mercúrio:

1. Bacalhau, bagre, siri, linguado
2. Garoupa, hadoque, arenque, lagosta, dourado
3. Perca marinha, ostra, truta arco-íris, salmão
4. Sardinha, vieira, tilápia, truta criada em cativeiro

Peixes que você só deve comer de vez em quando

Os peixes que contêm os níveis mais altos de mercúrio são considerados os piores para o consumo humano, por isso não os leve à mesa com frequência. São eles:

1. Cavala, tubarão, espadarte e peixe-paleta-camelo.
2. Atum fresco ou congelado. O atum em lata, porém, possui um teor mais baixo de mercúrio porque o peixe usado no processo de industrialização é da variedade menor. Entre os enlatados, o atum light em pedaços contém menos mercúrio do que o atum-branco (albacora) sólido.

DICA 29: EXPERIMENTE SABOROSOS LANCHES LIGHT

Há muitos lanches saborosos e light à sua disposição. Veja a seguir algumas opções saudáveis:

GRÃOS

Quando quiser comer carboidratos complexos, experimente uma destas opções:

- Barras de cereais diet e light
- Batata assada sem gordura (1 unidade pequena)
- 1 porção de chips de milho sem gordura trans
- 1 porção de amendoim torrado com a casca
- 1 1/2 xícara de pipoca light (sem gordura)
- 1 porção de sementes de girassol
- 1 porção de cereais ricos em fibras, com pouco açúcar, acompanhada ou não de leite desnatado

FRUTAS

As frutas são sempre uma boa opção de lanche rico em fibras:

- 1/2 xícara de uvas-passas, uvas, morangos ou mirtilos
- 1/2 xícara de laranja, grapefruit ou abacaxi em fatias
- 1/3 de xícara de frutas secas sem açúcar adicionado
- 1 banana, pera ou maçã
- 3 ou 4 ameixas secas sem caroço

HORTALIÇAS

As hortaliças relacionadas a seguir são ótimas opções de lanche, tanto puras quanto acompanhadas de um molho light ou picante:

- 3/4 de xícara de talos de aipo ou de cenoura
- 1 xícara de alface, brócolis ou couve-flor
- 1/2 xícara de pepino fatiado

LATICÍNIOS

Os laticínios apresentados a seguir são deliciosas sugestões de lanches para o meio da manhã ou da tarde:

- 1/2 xícara de iogurte desnatado com ou sem cobertura de frutas
- 240ml de leite desnatado
- 1/2 xícara de queijo cottage light com ou sem cobertura de frutas

LANCHES DOCES

Todos nós temos vontade de comer uma coisa doce de vez em quando. Satisfaça seu desejo com estes saborosos lanches:

- 1/2 xícara de sorbet, *frozen* ou sorvete light/diet
- 1 picolé de fruta

- 6 jujubas
- 4 balas diet
- 1 colher de sopa de calda de chocolate light
- 1 colher pequena de chantili light/diet

BEBIDAS

Estas bebidas light vão saciar sua sede sem engordar:

- Refrigerante, chá gelado ou café descafeinado
- Água mineral
- 240ml de leite desnatado
- 240ml de suco de hortaliças sem açúcar
- 180ml de café ou cappuccino com leite desnatado e sem creme. Se desejar, adicione uma pequena quantidade de café *mocha*.
- Shake de proteína preparado com 1 xícara de leite desnatado ou iogurte e 1 fruta de sua escolha, batidos com gelo e 1 colher de sopa de gérmen de trigo ou de *whey* (proteína do soro do leite)

DICA 30: CONHEÇA O TEOR DE COLESTEROL DE ALGUNS ALIMENTOS

Fazer escolhas alimentares que ajudem a preservar a saúde do coração não é complicado. Veja a seguir listas de alimentos ricos em colesterol que você deve evitar e de alimentos com pouco colesterol que devem estar presentes em suas refeições.

ALIMENTOS RICOS EM COLESTEROL A EVITAR

Os alimentos relacionados a seguir são ricos em colesterol e só devem ser ingeridos ocasionalmente:

Carnes e aves

- Cortes gordos de carnes bovina e suína, de vitela e de cordeiro
- Pato
- Ganso
- Miúdos (rins, fígado, coração e miolos)

- Frios, incluindo presunto com capa de gordura
- Enlatados e embutidos, como a salsicha

Laticínios

- Leite integral
- Leite em pó integral
- Queijos feitos com leite integral
- Cremes à base de leite integral (de leite, chantili, sorvete, requeijões)
- Manteiga
- Margarina

Pães e cereais

- Pães doces com e sem recheio
- Pães branco, italiano e francês
- Pão de milho e pão de alho
- Croissants
- Qualquer pão industrializado feito com ovos, manteiga e leite integral
- Granola

Sobremesas e lanches

- Tortas compradas prontas
- Rocamboles comuns e amanteigados
- Bolachas salgadas e biscoitos doces
- Produtos de confeitaria
- Pudins
- Chantili
- Sorvete
- Frituras
- Batata frita de saquinho, chips de milho e outros salgadinhos
- Coco
- Gema de ovo

PREFIRA AS SEGUINTES ALTERNATIVAS

Os alimentos listados a seguir contêm pouco colesterol e são ótimos componentes de refeições saudáveis.

Carne, peixe e aves

- Frango e peru sem a pele
- Peixe fresco, como linguado, bacalhau, robalo, perca, hadoque, halibute, salmão, truta, atum, carpa e lúcio
- Atum e salmão em lata (conservados em água)
- Carnes magras moídas
- Cortes magros e extramagros de carnes bovina e suína e de vitela
- Presunto sem capa de gordura

Laticínios

- Leite semidesnatado ou desnatado
- Leite em pó semidesnatado ou desnatado
- Ricota
- Iogurtes light
- Queijos light, como o cottage light
- Queijos feitos com leite desnatado
- Creme de leite light

Pães e cereais

- Pão de grãos integrais
- Pão *pumpernickel*
- Pão de centeio
- Pão feito com trigo-sarraceno
- Pão ázimo
- Pão árabe de trigo integral
- Grissini (palitinhos crocantes, como os de couvert)
- Cereais de grãos integrais e farelos (para consumir quentes e frios)
- Biscoitos feitos em casa (preparados com azeite de oliva ou óleo de canola e clara de ovo)
- Bolinhos sem gordura, feitos com farelo, aveia ou trigo integral

Sobremesas e lanches

- Tortas e itens de confeitaria feitos em casa (preparados com leite desnatado, azeite de oliva ou óleo de canola e clara de ovo)
- Gelatina diet ou light
- Cacau

- Sorvete ou *frozen yogurt* light
- Biscoitos, bolos e pudins feitos com gorduras monoinsaturadas e leite desnatado
- Mel, geleias de frutas
- Nozes

Outros alimentos com pouco colesterol

- Massas e arroz integrais
- Hortaliças, cruas ou cozidas, sem molhos, manteiga nem margarina
- Leguminosas (feijões, lentilhas, grão-de-bico e feijão-de-soja)
- Chá, café e bebidas gaseificadas light/diet
- Frutas e hortaliças
- Clara de ovo

DICA 31: EXPERIMENTE ALTERNATIVAS LIGHT NAS SOBREMESAS E NOS LANCHES

Quando você estiver com muita vontade de comer alguma coisa doce ou fazer um lanche rico em gordura, saboreie estas alternativas light:

- Versões light de picolés, sorvetes, *frozen yogurt*, *sorbets* e *sherbets* (sobremesas congeladas com sabor de frutas, feitas com leite e clara de ovo ou gelatina) são excelentes substitutos para o sorvete cremoso.
- Maionese comum e molhos cremosos de salada são proibidos em uma dieta com pouca gordura. Substitua esses produtos por suas versões light ou não coma o molho. Outra opção é colocar o molho à parte e mergulhar levemente as hortaliças nele a cada duas ou três garfadas. Assim, você consegue saboreá-lo sem ingerir o excesso de calorias da gordura.
- Pipoca light é um excelente lanche com pouca gordura e rico em fibras. Não adicione manteiga nem sal.
- Frutas secas ou frescas, uva-passa, pêssego, maçã, ameixa, damasco e banana são saborosos lanches sem gordura.
- Use mel, compotas e geleias de frutas sobre a torrada no lugar da margarina ou da manteiga.

- Coma uma batata assada com a casca no lugar da batata frita ou da batata frita de saquinho.

DICA 32: TOME CUIDADO COM AS GORDURAS OCULTAS

No início do século XX, 10% das calorias ingeridas pelos americanos vinham da gordura; hoje, são mais de 40%. Para suprir nossas necessidades nutricionais básicas, precisamos consumir apenas uma colher de sopa de óleo poli-insaturado por dia. Assim obtemos o ácido linoleico, um ácido graxo essencial que ajuda a absorver as vitaminas lipossolúveis. Como muitas pessoas ingerem seis a oito vezes mais do que essa quantidade, a gordura acaba se tornando sua principal fonte de calorias sem valor nutricional.

Apenas cerca de 1/3 da gordura que comemos é visível, como a gordura sólida da carne, as gorduras e os óleos usados na culinária e os molhos para salada feitos com óleo. A maior parte da gordura, infelizmente, fica oculta nos alimentos e não é identificada de imediato.

ONDE A GORDURA SE ESCONDE

As gorduras escondem-se em diversos alimentos:

- Queijos amarelos e duros, requeijão, alimentos fritos em muito óleo, sopas e caldos cremosos, sorvetes, chocolate, nozes e sementes
- Alimentos processados e industrializados, como produtos de confeitaria, embutidos (salsichão, salsicha para cachorro-quente), salgadinhos e refeições instantâneas
- Chantili
- Pastinhas e molhos

Muitos produtos saudáveis que são usados para substituir as gorduras saturadas contêm um alto teor de gordura. Metade das calorias das nozes e das sementes, da pasta de gergelim, da granola, das quiches e do abacate são provenientes da gordura. No entanto, as nozes e o abacate apresentam gorduras monoinsaturadas, saudáveis para o coração.

COMO EVITAR AS GORDURAS OCULTAS

Felizmente, não é muito difícil evitar as gorduras ocultas, contanto que você tome as seguintes providências:

Leia os rótulos com o máximo de atenção

É difícil saber qual é a quantidade exata de gordura dos alimentos industrializados. No supermercado, examine atentamente os rótulos para identificar os ingredientes e lembre-se de que eles são listados em ordem decrescente de acordo com o peso, isto é, aqueles que existem em maior quantidade no produto são os que aparecem primeiro. Portanto, se a gordura ou o óleo estiverem encabeçando a lista, é provável que o alimento seja rico em gordura, sobretudo se esses itens aparecerem antes da farinha de trigo. O rótulo com as informações nutricionais informa o tamanho da porção e as quantidades que ela contém de gordura total e de gordura saturada.

As traiçoeiras gorduras trans. Para determinar se há ou não gorduras trans nos alimentos industrializados, verifique se entre os ingredientes listados no rótulo existem gorduras hidrogenadas ou parcialmente hidrogenadas. O teor de gordura trans costuma equivaler à metade do conteúdo de gordura saturada indicado no rótulo. Portanto, se o alimento contiver 4g de gordura saturada, divida por dois essa quantidade, e o total será de 2g de gordura trans por porção.

Laticínios

O leite desnatado e o semidesnatado são as melhores opções. Iogurte light, queijo cottage e ricota são preferíveis a outros laticínios. Parmesão, queijo feta e mozarela feitos com leite desnatado contêm menos gordura do que os queijos amarelos e duros. Tanto o creme de leite quanto o chantili têm alto teor de gordura e devem ser evitados.

Use leite desnatado no preparo de pudins e cremes. O sorvete e o *frozen yogurt* light têm menos gordura do que o sorvete cremoso e os milk-shakes. Tome cuidado com as demais sobremesas cremosas industrializadas, pois muitas delas contêm grande quantidade de gordura. O leitelho tem pouca ou nenhuma gordura de manteiga e pode ser usado no preparo de produtos de confeitaria para conferir sabor e substância.

ALTERNATIVAS PARA PASTAS E MOLHOS GORDUROSOS

Uma colher de sopa de maionese ou de óleo pode ter tantas calorias de gordura quanto uma colher de chá de gordura mais sólida. Entretanto, as gorduras mais macias e mais líquidas são menos saturadas. É bem melhor optar por produtos mais modernos, que são livres de gorduras trans.

Desde que não levem molhos, as saladas são ótimas opções para quem deseja seguir uma dieta com pouca gordura. Substitua os molhos por ervas e condimentos. De vez em quando, basta acrescentar um pouco de suco de limão aos temperos. O azeite de oliva, monoinsaturado, também pode ser usado em quantidades limitadas. Se você aprecia as versões light dos molhos para salada, verifique se elas têm de fato pouca gordura. As que são inteiramente livres de gordura são as melhores.

Carnes

Evite os cortes de carne de primeira que contêm gordura entremeada com suas fibras, assim como as carnes processadas. Prefira filé-mignon e outros cortes cuja gordura visível (subcutânea e intermuscular) pode ser removida com facilidade, como miolo de alcatra, maminha e fraldinha. As carnes de vitela e de cordeiro também são opções menos gordurosas. Compre sempre hambúrguer de carne moída magra. Nunca frite a carne – é melhor consumi-la assada ou grelhada. Não use molhos prontos feitos com caldo de carne nem molhos cremosos – prepare-os em casa. Limite a ingestão de carne vermelha a uma ou duas vezes por semana e sirva-se sempre de porções pequenas.

Peixes e aves

Atum e salmão estão, surpreendentemente, entre os peixes mais gordurosos, mas eles contêm os saudáveis ácidos graxos ômega-3, que protegem o coração. Sardinhas conservadas em óleo, assim como muitos peixes defumados, também apresentam um alto teor de gordura. Os peixes frescos, sobretudo linguado, linguado-gigante, bacalhau, perca e hadoque, contêm uma quantidade bem menor de gordura. O atum conservado em água tem cerca de 1/3 do teor de gordura do conservado em óleo. Os frutos do mar apresentam menos gorduras saturadas e não elevam o colesterol quando consumidos com moderação.

As aves também devem ser assadas ou grelhadas, e não fritas. Antes de prepará-las, retire a pele para evitar a absorção excessiva de gordura saturada durante o cozimento. Não use molhos cremosos nem aqueles feitos com o caldo da própria ave. Quando for ingerir qualquer tipo de ave, remova a pele antes.

Produtos de confeitaria

Os produtos de confeitaria industrializados contêm uma significativa quantidade de gordura saturada. Antes de consumi-los, verifique os rótulos e só compre aqueles que são livres de gorduras hidrogenadas, ou trans, pois elas elevam o colesterol.

Bolinhos, croissants e brioches são muito gordurosos. O pão francês e os pães italianos têm menos gordura, mas aqueles preparados com trigo integral ou outros grãos integrais são melhores. *Grissinis* e barrinhas de cereais light e diet são bons substitutos para as batatas fritas de saquinho e bolachas, que possuem alto teor de gordura.

DICA 33: COMA MENOS GORDURA PARA PERDER MAIS GORDURA

Da próxima vez que você for comer bacon, manteiga, sorvete, tortas ou bolos carregados de gordura, pense no que vou lhe dizer a seguir.

As gorduras e os carboidratos são metabolizados juntos em um ritmo que é definido geneticamente pelo metabolismo de cada indivíduo. Quando restringimos a ingestão de calorias de gordura, o metabolismo controla de modo automático a quantidade de calorias de carboidratos refinados que sentimos vontade de comer. Portanto, limitando a ingestão de calorias provenientes da gordura, o apetite por carboidratos refinados diminui.

A restrição combinada do consumo de gordura e de carboidratos refinados faz com que seja difícil engordar, pois isso reduz a quantidade total de calorias ingeridas. Dessa forma, comendo menos gordura, temos menos probabilidade de ganhar peso. Parece simples? E é.

DICA 34: DICAS PARA PREPARAR PRATOS LIGHT

Até mesmo os alimentos saudáveis podem nos fazer mal se não forem preparados da maneira apropriada. Para ter certeza de que suas boas intenções vão se transformar em refeições benéficas para a saúde, siga estas dicas simples:

- Prepare os alimentos em panelas antiaderentes, que requerem menos gordura do que as de ferro, cobre e alumínio. Use uma pequena quantidade de azeite de oliva ou de óleo de canola.
- Prepare carne, aves e peixes em uma grelha para que a gordura possa escorrer e sair durante o cozimento. Nunca use manteiga, margarina, gordura vegetal nem misturas feitas com o próprio caldo das carnes.
- Retire toda a pele e toda a gordura visíveis das aves e das carnes antes de cozinhá-las.
- Hortaliças, aves, carnes magras e peixes preparados na grelha ou no forno são pratos saborosos e leves, pois a gordura escorre durante o cozimento.
- Cozinhe as hortaliças no vapor, com ou sem ervas, em um cesto sobre água fervente. O vapor retém o sabor, a cor e os nutrientes desses alimentos.
- Cozinhar o peixe no vapor (um pouco abaixo do ponto de fervura da água) preserva o seu sabor e a sua consistência. Condimentos, como alho e ervas, podem ser acrescentados ao líquido para deixá-lo ainda mais apetitoso.
- Para cozinhar rapidamente hortaliças, frango, carnes ou peixes e deixá-los saborosos, use uma panela do tipo *wok*. Adicione uma quantidade bem pequena de azeite de oliva ou de óleo de amendoim e temperos. Em seguida, acrescente caldo de galinha sem gordura ou molho de soja sem sal.
- Para preparar um refogado leve, use uma pequena quantidade de vinho ou de caldo sem gordura e misture hortaliças, peixe, aves ou carne em uma panela. Adicione ervas, como tomilho, manjericão, sálvia ou endro, para conferir sabor.
- O micro-ondas usa a própria umidade dos alimentos para cozi-

nhá-los. Esse tipo de forno proporciona um método de cozimento rápido e fácil que dispensa qualquer tipo de gordura. Quase todos os alimentos podem ser preparados no micro-ondas.

- Asse a batata-inglesa com a casca para manter as fibras e elaborar um prato nutritivo e pobre em gordura. A batata que é descascada antes do cozimento perde mais de 25% dos nutrientes e 35 a 40% das fibras.
- Não salgue aves, peixes nem carnes antes do preparo, pois isso faz com que o alimento perca uma boa porção do seu conteúdo de vitaminas e sais minerais durante o cozimento.
- Quando quiser comer massa, prefira as finas, como espaguete ou cabelo de anjo. As mais largas costumam conter mais gordura porque são feitas com ovos. Compre massa integral ou massa verde por seu alto teor de fibras. Opte pelo molho de tomate e pela marinada ou por molhos à base de frutos do mar que não contenham creme.
- Sopas e ensopados podem apresentar grande quantidade de gordura oculta. Prepare-os e deixe-os na geladeira até o dia seguinte. Antes de consumi-los, descarte a camada de gordura que se formar na superfície – isso elimina mais de 3/4 da gordura contida nesses pratos. Opte por sopas que levem hortaliças e feijões e evite suas versões cremosas.

DICA 35: COMA CINCO FRUTAS E HORTALIÇAS POR DIA

Todos nós já ouvimos dizer que uma maçã por dia protege contra doenças, mas o valor nutricional e o alto conteúdo de fibras das frutas e hortaliças são ainda mais benéficos do que imaginamos. Esses alimentos contêm pouca ou nenhuma gordura e conferem sabor e variedade às refeições. São ricos em fibras, vitaminas, sais minerais, fitonutrientes e em muitos componentes saudáveis que evitam doenças cardiovasculares, derrame, câncer, diabetes e colesterol alto. Estudos mostram que a ingestão desses nutrientes está associada a um risco menor de problemas cardíacos e derrame.

As frutas têm uma grande quantidade de fibras e poucas calorias. Saciam a fome e promovem o bom funcionamento do intestino, fornecendo as fibras adequadas, que, por sua vez, diminuem o apetite. São especialmente ricas em potássio, um elemento essencial, que parece ajudar na redução da pressão arterial.

Além disso, muitas frutas, assim como diversas hortaliças, são boas fontes de pectina, uma fibra solúvel que contribui para baixar o colesterol. Uma grande variedade de frutas possui ainda vitamina C, que ajuda a pectina a reduzir ainda mais o colesterol. A vitamina C é importante também para fortalecer o sistema imunológico e possui em sua estrutura fatores que previnem o câncer.

Por terem poucas calorias, serem ricas em fibras e livres de gordura, as hortaliças são ótimos alimentos para quem deseja emagrecer e manter o peso saudável. Muitas delas - como repolho, brócolis, couve-flor, espinafre, couve-de-bruxelas e abóbora - também são ricas nas vitaminas A e C e em fitonutrientes que combatem o câncer. Outras - como batata-doce, abóbora, espinafre, beterraba, tomate e pimentão verde - são boas fontes de potássio. O cozimento, no entanto, destrói 35 a 40% ou mais do potássio presente nas hortaliças. Por isso, prefira comê-las cruas ou prepare-as no vapor ou no micro-ondas.

A cenoura e as hortaliças de folhas verde-escuras contêm betacaroteno e outros carotenos, que são precursores químicos da vitamina A. Além de preservar a integridade dos pulmões e do trato intestinal, a vitamina A inibe os compostos denominados radicais livres, que podem transformar células normais em cancerígenas.

O EFEITO DO BETACAROTENO NA PROTEÇÃO CONTRA O CÂNCER

O betacaroteno parece proteger contra os cânceres de pulmão e de cólon. Um estudo recente realizado na New York State University, em Buffalo, revelou que pessoas com câncer de pulmão tinham níveis sanguíneos de betacaroteno significativamente mais baixos do que os não portadores dessa doença. Pesquisas semelhantes mostram que pacientes com câncer de cólon também apresentam níveis menos significativos de betacaroteno do que indivíduos saudáveis.

CINCO PORÇÕES DIÁRIAS DE FRUTAS E HORTALIÇAS AJUDAM A REDUZIR O RISCO DE DERRAME

A ingestão dos nutrientes presentes nas frutas e hortaliças, como as fibras alimentares e os antioxidantes, está associada a um risco menor de doenças cardíacas. Um estudo publicado no *Journal of the American Medical Association* mostrou que o consumo de cinco porções de frutas e hortaliças por dia reduz em 35% o risco de derrame. Essa pesquisa indica também que cada acréscimo diário de uma porção de frutas ou hortaliças foi associado a uma redução de 7% na probabilidade de isquemia cerebral em mulheres e homens.

O consumo de frutas e hortaliças variadas - entre as quais vegetais crucíferos (brócolis e repolho, por exemplo), folhas verde-escuras, frutas cítricas, bem como frutas e hortaliças ricas em vitamina C - proporcionou a maior redução do risco de isquemia cerebral (JAMA 282, nº 13; 6 de outubro de 1999). Portanto, esse é um excelente motivo para você comer cinco porções de frutas e hortaliças por dia.

DICA 36: MONTE UM PRATO COLORIDO

Além de terem naturalmente poucas calorias e serem ricas em fibras, as frutas e hortaliças coloridas contêm substâncias que combatem o câncer e fornecem ao organismo vitaminas e sais minerais nutritivos capazes de prevenir doenças. Toda fruta e hortaliça colorida possui uma substância fitoquímica, isto é, de origem vegetal, que pode diminuir o risco de alguns tipos de câncer. Para beneficiar ao máximo a sua saúde, coma pelo menos quatro ou cinco porções de hortaliças e frutas variadas e de cores diferentes.

UM ESPECTRO COMPLETO DE BENEFÍCIOS À SAÚDE

Veja a seguir uma lista de algumas das substâncias químicas presentes nas frutas e hortaliças que podem reduzir os riscos de câncer e de doenças cardíacas:

Licopeno

Carotenoide, ou pigmento vegetal, da mesma família do betacaroteno, o licopeno confere a muitas frutas e hortaliças, como o tomate, sua vívida cor vermelha. Possui propriedades antioxidantes poderosas, que são eficazes no combate a vários tipos de câncer. De acordo com o American Institute for Cancer Research, as frutas e hortaliças que contêm essa substância, sobretudo o tomate, podem ajudar a prevenir o câncer de próstata, bem como os de cólon, estômago, pulmão, esôfago e pâncreas. O licopeno também está associado a um risco menor de infarto decorrente de doença coronariana.

Betacaroteno

Esse poderoso antioxidante com propriedades de combate ao câncer está presente na batata-doce, que também é rica em fibras alimentares e nas vitaminas C e E. As hortaliças de folhas verde-escuras, como espinafre, couve, repolho-chinês (*bok choy*) e outras verduras, são ótimas fontes de betacaroteno. As frutas e hortaliças de cor amarelo-escura, como laranja, papaia, damasco, melão-cantalupo, manga, abóbora e cenoura, também apresentam uma quantidade significativa de betacaroteno.

Flavonoides

Esse grupo de substâncias fitoquímicas está presente em uma grande variedade de frutas, hortaliças e cereais. As uvas, por exemplo, contêm uma substância denominada transresveratrol, que se concentra sobretudo em sua casca. O resveratrol, que também é encontrado no suco de uva e no vinho tinto, é útil no combate aos cânceres de cólon, de fígado e de mama. Essa substância inibe o crescimento do câncer evitando o dano inicial ao DNA de uma célula normal e sua transformação em célula cancerosa. Além disso, ajuda a prevenir o crescimento e a disseminação das células tumorais. Pesquisas indicam que o resveratrol possui ainda propriedades cardioprotetoras.

Ácido elágico

Esse ácido, presente em muitos tipos de frutas, hortaliças e cereais, parece reduzir os danos ao DNA causados por carcinógenos, como o tabaco e a poluição do ar. As frutas vermelhas contêm quantidades elevadas de ácido elágico. Estudos mostraram que uma xícara de framboesa ou de mirtilo foi o suficiente para reduzir o crescimento de células anormais no cólon de seres humanos e, em alguns casos, evitou ou interrompeu o desenvolvimento de células infectadas pelo papilomavírus (HPV), que pode causar câncer do colo de útero. Em testes com animais, esse agente especial de combate ao câncer apresentou efeitos semelhantes sobre as células cancerígenas do cérebro e do pâncreas.

Sulfetos alílicos

Hortaliças do gênero *Allium* contêm compostos conhecidos como sulfetos alílicos (ou alilsulfetos), que ajudam a ativar enzimas capazes de decompor algumas substâncias causadoras de câncer e aumentar a capacidade que o organismo tem de expeli-las. Entre esses alimentos estão o alho, a cebola, a chalota e o alho-poró. Diversos estudos mostram que pessoas que comem muito alho estão menos sujeitas a desenvolver cânceres de estômago e de cólon e que essa hortaliça inibe o crescimento de novas células cancerosas.

Indóis

Os vegetais crucíferos têm esse nome por causa de suas flores de quatro pétalas que se assemelham a cruzes, como brócolis, repolho, couve-flor e couve-de-bruxelas. Eles contêm indóis, fitonutrientes que ajudam a combater o câncer. Estudos revelam que as pessoas que comem grandes quantidades dessas hortaliças, especialmente brócolis, estão menos sujeitas a desenvolver diversos tipos de câncer, como os de cólon, bexiga, próstata, esôfago, pulmão, mama, colo do útero e laringe.

Antocianinas

São pigmentos vegetais presentes na cereja, na framboesa, no morango e na uva roxa e no seu suco. Essas substâncias ajudam a prevenir doenças cardíacas.

Carotenoides

Os carotenoides são pigmentos vegetais antioxidantes que o organismo converte em vitamina A. Entre eles estão o betacaroteno, a luteína e a zeaxantina. Eles reduzem o risco de degeneração macular relacionada à idade, que causa cegueira. Vagem, couve, couve-galega, mostarda, nabo, abóbora, alface-romana, espinafre, algas marinhas e outros tipos de folhas verde-escuras são fontes importantes de luteína e zeaxantina.

Isoflavonas

As substâncias químicas vegetais conhecidas como isoflavonas atuam como estrogênios fracos (fitoestrogênios). A ingestão diária de cerca de 100mg de isoflavonas pode melhorar a densidade óssea. As fontes mais ricas em isoflavonas são leite de soja, proteína de soja, tofu e proteína vegetal texturizada.

Ácido fólico

Uma das vitaminas do complexo B, o ácido fólico ajuda a prevenir deformidades congênitas e reduz os níveis de homocisteína, aminoácido que, quando em excesso no sangue, pode aumentar o risco de ocorrência de doenças cardíacas. Entre as melhores fontes de ácido fólico estão a laranja, o brócolis, a alface-romana, o espinafre e outras folhas verde-escuras.

Portanto, as substâncias fitoquímicas formam um arco-íris, e cada uma dessas frutas e hortaliças coloridas possui uma grande quantidade de elementos que previnem doenças.

DICA 37: VINTE ANTIOXIDANTES PARA VOCÊ INCLUIR NA SUA DIETA

Os antioxidantes são substâncias químicas maravilhosas que ajudam a neutralizar os radicais livres produzidos quando o organismo converte oxigênio em energia. Se permanecerem ativos, os radicais livres podem desencadear um distúrbio chamado *estresse oxidativo* – um desequilíbrio entre os fatores que causam a oxidação e os fatores que a inibem. Às vezes eles provocam também danos celulares que fazem com que o sistema metabólico e os órgãos entrem em colapso.

Experimente estes 20 saborosos alimentos ricos em antioxidantes:

Frutas	Hortaliças
Maçã	Brócolis
Mirtilo (*blueberry*)	Repolho-chinês (*bok choy*)
Amora-preta	Repolho
Cereja	Cenoura
Oxicoco (*cranberry*)	Alho
Ameixa seca	Couve-galega
Uva roxa	Espinafre
Uva-passa	Abóbora
Framboesa	Batata-doce
Morango	
Tomate	

O MIRTILO PODE REVERTER O PROCESSO DE ENVELHECIMENTO

O mirtilo é extremamente rico em antioxidantes e fibras. Tem também pouco açúcar e calorias. Muitos estudos mostram que, entre todas as frutas e hortaliças, o mirtilo é a que fornece os maiores benefícios antioxidantes. Novas pesquisas indicam que mulheres que têm uma alimentação rica em antioxidantes apresentam menos distúrbios associados à idade do que as que seguem uma dieta-padrão. Estudos revelam que, comparado a todas as frutas e hortaliças, o mirtilo – sobretudo seu extrato – é o alimento que proporciona a maior reversão dos efeitos relacionados ao envelhecimento, como perda de equilíbrio e falta de coordenação.

Pesquisas anteriores mostraram que tanto o extrato de morango quanto o de espinafre ajudam a evitar o surgimento de problemas decorrentes do envelhecimento. No entanto, os maiores benefícios foram obtidos pelos pacientes que comeram mirtilo. Os fitonutrientes dessa fruta, especialmente os flavonoides e o betacaroteno, parecem ter um efeito anti-inflamatório que pode favorecer a prevenção do mal de Alzheimer (*The Journal of Neuroscience* 19: 8114-8121; 15 de setembro de 1999).

PROTEJA SUA VISÃO COM COUVE E ESPINAFRE

Couve e espinafre são duas hortaliças ricas nos antioxidantes luteína e zeaxantina que ajudam a prevenir catarata e degeneração macular relacionada à idade, uma das principais causas de cegueira. Alface-romana, brócolis, couve-galega, milho e folhas de nabo também possuem grandes concentrações dessas substâncias que protegem a visão.

BRÓCOLIS: PROTEÇÃO CONTRA TRÊS GRANDES PROBLEMAS DE SAÚDE

Os cientistas sabem há anos que a ingestão de hortaliças de folhas verde-escuras reduz o risco de desenvolvimento de algumas formas de câncer. Um novo estudo, porém, mostrou que comer brócolis pode diminuir a chance de ocorrência de doenças cardíacas, hipertensão arterial e derrame. O brócolis tem altas concentrações do antioxidante glucorafanina, que estimula o mecanismo de defesa do organismo contra radicais livres que provocam câncer.

Um estudo realizado na Universidade de Saskatchewan, no Canadá, revelou que cobaias propensas a desenvolver hipertensão que foram alimentadas com floretes de brócolis contendo níveis elevados de glucorafanina apresentaram redução da pressão arterial, menos inflamações, um sistema imunológico mais forte e menor incidência de doenças cardíacas e derrame. Outras pesquisas relatam descobertas semelhantes em seres humanos que consumiam grandes quantidades dessa hortaliça de folhas verde-escuras.

MAIS ALIMENTOS RICOS EM ANTIOXIDANTES QUE COMBATEM O CÂNCER

Outros alimentos ricos em antioxidantes que ajudam a reduzir a chance de desenvolvimento de câncer são feijão-de-soja, gengibre, alcaçuz, aipo, coentro, salsa, pastinaca, cebola, couve-de-bruxelas e cogumelos.

DICA 38: ÁGUA, A MELHOR BEBIDA

Dois terços do nosso organismo são compostos de água, elemento imprescindível para a existência porque transporta os nutrientes e o oxigênio presentes na corrente sanguínea para todas as células do corpo e elimina as toxinas e os produtos residuais dos tecidos. A água regula o metabolismo e a temperatura corporal e auxilia na digestão dos alimentos. Além disso, é responsável pela lubrificação, que faz com que os músculos e as articulações se movimentem de maneira eficiente e sem esforço.

A água é como um combustível que abastece o reservatório de energia do corpo, pois o processo metabólico exige um suprimento constante desse líquido para funcionar de maneira adequada e eficiente. O organismo perde água o tempo todo apenas realizando suas atividades diárias para nos manter vivos, não importando se somos ativos ou sedentários. Portanto, precisamos encher constantemente o tanque de água para compensar essas perdas.

Como não tem calorias e satisfaz a fome rapidamente, a água é também o melhor alimento para a dieta. Muitas vezes, as pessoas pensam que estão com fome, mas, na verdade, estão desidratadas. O estômago vazio é resultado da falta tanto de alimento quanto de água. Tomar um copo d'água antes de começar a comer é a melhor maneira de controlar o apetite e evitar a ingestão excessiva de calorias às refeições. Beber água é, ainda, um excelente meio de inibir a vontade de beliscar entre as refeições.

A maior parte dos estudos mostra que, para mantermos a saúde, devemos tomar 8 a 10 copos d'água por dia, que é a quantidade necessária apenas para a hidratação diária normal. Quando nos exercitamos, a quantidade de água adicional que devemos ingerir varia de acordo com o nível de intensidade da atividade realizada. Para evitar a desidratação, beba um copo e meio de água 30 minutos antes de se exercitar. Tome um copo d'água a mais para cada 15 minutos de exercícios moderados e dois copos d'água para cada 15 minutos de exercícios intensos que provoquem maior transpiração.

As melhores fontes de água são a água mineral e a do filtro. Afaste-se da cafeína sempre que possível, pois ela pode acelerar o metabolismo e deixá-lo desidratado. O álcool também pode causar esse problema. A ingestão de frutas, hortaliças, sopas, gelatina, iogurte e outros alimentos líquidos deve ser considerada quando se trata de suprir a necessidade diária de água. Várias porções de frutas e hortaliças podem nos fornecer até duas ou três xícaras de água diariamente.

DICA 39: CONHEÇA OS ALIMENTOS QUE PROPORCIONAM MAIS ENERGIA

Veja a seguir algumas fontes saborosas e nutritivas de energia:

Mingau de aveia

O mingau de aveia é rico em fibras e pobre em gordura e calorias. Ajuda a prevenir doenças cardíacas, reduzindo o mau colesterol (LDL) e elevando o bom colesterol (HDL). Muitos estudos confirmam essas descobertas - o mingau de aveia é um bom alimento, além de essencial para a proteção cardíaca. Enriqueça-o com banana ou frutas vermelhas para acentuar o sabor e adicionar mais nutrientes e antioxidantes a um delicioso café da manhã. Use leite desnatado no preparo do mingau para obter o cálcio de que o organismo necessita sem a adição da gordura presente no leite integral ou semidesnatado.

Iogurte

Rico em cálcio, o iogurte fortalece os ossos e auxilia no combate a infecções, estimulando o sistema imunológico. Seus bacilos vivos ajudam a manter o trato intestinal em ótima forma. Todos esses benefícios são proporcionados pelo iogurte light ou semidesnatado. Não precisamos do conteúdo adicional de gordura do iogurte integral para que ele realize sua mágica. Basta acrescentarmos frutas para realçar o sabor e o valor nutritivo e antioxidante desse alimento.

Espinafre: uma fábrica de substâncias saudáveis

Se você está procurando uma hortaliça com superpoderes curativos, experimente o espinafre. É rico em vitaminas, sais minerais e antioxidantes, como alfacarotenos, betacarotenos, luteína, zeaxantina, potássio, magnésio, vitamina K e ácido fólico, que garantem proteção contra muitas doenças. Comê-lo é também um ótimo meio de aumentar o consumo de fibras e vitamina C. Estudos mostram que a ingestão de espinafre pode reduzir o risco de derrame, câncer de cólon, catarata, doenças cardíacas, osteoporose, fratura nos quadris, perda de memória, mal de Alzheimer, depressão e até deformidades congênitas.

As propriedades que combatem as doenças são mais bem absorvidas quando o espinafre é cozido com um pouco de azeite de oliva. Essa hortaliça se torna um ótimo acompanhamento quando refogada com azeite de oliva e um pouco de alho, mas também pode ser consumida fresca em saladas ou em sanduíches no lugar da alface.

Salmão, atum ou sardinha em lata

Comer esses três tipos de peixe é uma ótima forma de aumentar a ingestão de ácidos graxos ômega-3, essenciais para preservar a saúde do coração e para o combate à inflamação. Esses alimentos são ricos também em cálcio e proteína. Use-os no preparo de um sanduíche no pão integral com cebola, alface, tomate e mostarda de Dijon - você terá um almoço delicioso. Ou apenas os inclua em uma farta salada mista. Os peixes conservados em água têm muito menos gordura. No entanto, se você gosta do sabor do óleo, não se esqueça de escorrê-lo completamente e de secar o peixe com papel-toalha. Dessa forma, preservará o gosto do óleo e todos os maravilhosos benefícios dos ácidos graxos ômega-3.

DICA 40: CONHEÇA OS ALIMENTOS NATURAIS MAIS CROCANTES

Os alimentos que exigem uma boa mastigação são excelentes para dieta, pois requerem mais tempo para serem ingeridos e, consequentemente, o mecanismo cerebral que regula o apetite registra a sensação de saciedade antes que comecemos a consumir calorias em excesso. Como muitos desses alimentos são ricos em fibras, eles também proporcionam grandes vantagens nutricionais. O alto teor de fibras das frutas e das hortaliças crocantes nos deixam satisfeitos mais depressa e por mais tempo.

UMA MAÇÃ POR DIA

Há uma série de ótimas opções de lanches crocantes com poucas calorias e ricos em fibras que não engordam. Selecionei algumas para você experimentar:

- Comer uma maçã por dia não apenas nos ajuda a permanecer saudáveis, como mantém a gordura a distância. Rica em fibras, essa fruta é um dos melhores alimentos para dieta.
- O milho é uma hortaliça gostosa e poderosa. Coma-o na espiga ou espalhe seus grãos sobre a salada – ela ficará mais colorida e saborosa.
- O aipo, ou salsão, é um ótimo lanche para o meio do dia. Escolha uma proteína magra como acompanhamento.
- Além de ser um alimento crocante e rico em fibras, a cenoura é fonte de betacaroteno, antioxidante que combate o câncer, e das vitaminas C e E. Inclua-a em saladas ou experimente mergulhá-la em um molho light ou picante como aperitivo.
- Crocante e refrescante, o pepino é uma hortaliça que pode ser saboreada sozinha ou na salada. Da próxima vez que você sentir vontade de beliscar, mergulhe um pedaço de pepino em um molho light e coma-o. Couve-flor, brócolis, vagem e rabanete são alimentos extremamente crocantes e ótimas opções para saladas e lanches rápidos. Agradam ao paladar e, ao mesmo tempo, saciam a fome.

DICA 41: CONHEÇA AS FRUTAS E AS HORTALIÇAS MAIS PODEROSAS E SEUS NUTRIENTES

Há um grupo de alimentos que são mais nutritivos do que outros – gosto de chamá-los de alimentos poderosos. Além de serem extremamente ricos em vitaminas, eles contêm muitos nutrientes singulares, como fitonutrientes, flavonoides, ácidos graxos ômega-3 monoinsaturados, carboidratos complexos, proteínas, minerais, fibras e uma série completa de compostos com alto valor nutricional. Experimente incluir na sua dieta os itens saudáveis listados a seguir - eles vão aumentar sua energia.

GRÃOS INTEGRAIS

Os pães e cereais integrais, especialmente aqueles que contêm farelo, são fontes excelentes de fibras, vitaminas do complexo B e minerais, como zinco, ferro e magnésio. Todos os alimentos elaborados com grãos integrais auxiliam no controle do apetite graças ao seu altíssimo teor de fibras não solúveis, que ajudam a desobstruir os vasos sanguíneos elevando o nível do bom colesterol (HDL) e eliminando o mau colesterol (LDL) da corrente sanguínea.

HORTALIÇAS

As hortaliças são excelentes fontes de diversos nutrientes essenciais. Prefira as folhosas, as crucíferas e as de cor alaranjada.

Hortaliças folhosas

As verduras - como espinafre, couve, repolho-chinês (*bok choy*), algas marinhas, alface-romana e outras folhas verde-escuras - são fontes maravilhosas de betacaroteno, vitaminas do complexo B, ácido fólico e antioxidantes conhecidos como carotenoides. Esses nutrientes e antioxidantes contribuem para diminuir o risco de alguns distúrbios visuais e neurológicos, além de ajudarem a evitar as doenças cardíacas e alguns tipos de câncer.

Hortaliças crucíferas

Entre as hortaliças crucíferas estão o brócolis, o repolho e a couve-flor. Excelentes fontes de carboidratos complexos e de fibras alimentares, elas apresentam também uma boa concentração de betacaroteno e de vitaminas do complexo B. Muitos estudos mostram que a incidência de vários tipos de câncer é mais baixa entre as pessoas que ingerem uma grande quantidade desse tipo de hortaliça.

Hortaliças alaranjadas

As hortaliças alaranjadas, como cenoura, batata-doce, abóbora-

-moranga e outros tipos de abóbora (e até o melão-cantalupo), são ricas em dois antioxidantes que combatem o câncer – o betacaroteno e as vitaminas C e E.

FRUTAS

Além do ótimo sabor e da cor que acrescentam à alimentação, as frutas listadas a seguir são ricas em vitaminas e nutrientes essenciais:

Tomate

Sim, o tomate é uma fruta. E é único em sua capacidade de produzir um aminoácido denominado carnitina, que aumenta a taxa metabólica basal (TMB) para ajudar o organismo a queimar gordura mais depressa. O tomate também apresenta uma alta concentração de vitamina C e de um importante antioxidante chamado licopeno, que contribui para reduzir o risco de vários tipos de câncer. O licopeno é liberado em grandes quantidades quando o tomate é cozido.

Frutas vermelhas

As frutas vermelhas são ótimas quando ingeridas puras, sobre o cereal matinal ou como ingrediente de uma saborosa vitamina. Elas contêm vitamina C, carotenoides e antioxidantes que ajudam a neutralizar muitos processos químicos que favorecem o desenvolvimento do câncer. O oxicoco (*cranberry*), pobre em calorias, contém vitamina C e o antioxidante procianidina, que mantém a saúde do trato urinário. O morango e a framboesa são ricos em antioxidantes, carotenoides e vitamina C. A uva roxa apresenta vitamina C, potássio e o flavonoide transresveratrol, que contribuem para reduzir o risco de doenças cardíacas. O mirtilo (*blueberry*), de coloração azul quando maduro, tem alta concentração de fibras e pouco açúcar e calorias. Seus antioxidantes colaboram no combate aos radicais livres e exercem um efeito significativo sobre a reversão de distúrbios relacionados ao envelhecimento (veja a Dica 37).

Frutas cítricas

As frutas cítricas, como laranja, limão e tangerina, contêm antioxidantes e são ricas em vitamina C, potássio e ácido fólico. Fornecem nutrientes essenciais ao organismo.

Grapefruit. O grapefruit contém altos níveis de potássio, vitamina C, betacaroteno e licopeno, antioxidante que diminui o risco de ocorrência dos cânceres de mama e de próstata. Além disso, apresenta bioflavonoides, que parecem conferir proteção contra doenças cardíacas, e ácido fenólico, capaz de bloquear as nitrosaminas, substâncias químicas causadoras de câncer encontradas em muitos alimentos embutidos e defumados.

O grapefruit é ótimo em qualquer programa de emagrecimento, pois tem poucas calorias e muitas fibras. No entanto, quem usa medicamentos para reduzir o colesterol, as chamadas estatinas, deve consultar o médico antes de combinar a ingestão dessa fruta com esses remédios. Parece que o suco de grapefruit retarda a absorção natural dessas substâncias pela corrente sanguínea, fazendo com que elas permaneçam ativas em níveis elevados no sangue por períodos mais longos.

Laranja. A laranja protege o coração e combate o câncer. Um estudo demonstrou que a ingestão dessa fruta aumenta o bom colesterol (HDL), além de fornecer vitamina C, ácido fólico e diversos flavonoides. Há um consenso de que esses compostos evitam a oxidação do colesterol, processo que foi associado a um risco reduzido de eventos coronarianos.

Consumir uma ou duas laranjas por dia diminui o risco de ocorrência de aterosclerose (formação de depósitos de colesterol nas artérias, que se tornam enrijecidas). Pesquisadores descobriram que as frutas cítricas, em especial a laranja, auxiliam na redução do risco de câncer. Estudos realizados com animais mostram que aqueles que comeram laranja por vários meses apresentaram uma chance 25% menor de ter câncer de cólon precoce do que os que receberam somente água. Compostos presentes na laranja, como os limonoides, parecem alterar as características do revestimento intestinal, desfavorecendo o surgimento dessa doença. Os pesquisadores especulam se a laranja também poderia ajudar a impedir os cânceres de mama, próstata e pulmão.

LEGUMINOSAS

As leguminosas, como os feijões e as lentilhas, são ricas em fibras e excelentes fontes de proteína, sem a gordura encontrada nas carnes e nos laticínios. Sua alta concentração de fibras ajuda a reduzir a absorção de gordura saturada, colesterol e calorias pelo trato intestinal, diminui o apetite e pode baixar o risco de doenças cardíacas. Esses alimentos contêm, ainda, grandes quantidades de potássio, ferro, zinco, vitamina B6 e ácido fólico.

NOZES E SEMENTES

As nozes, sobretudo as comuns (de Natal) e as amêndoas, são ricas em gorduras monoinsaturadas que beneficiam o coração e possuem excelente concentração de fibras e proteína. Esses alimentos fornecem também ótimas quantidades de ácido fólico, vitamina D, cobre e magnésio. As sementes, como as de linhaça, girassol e abóbora, contêm fitoestrogênios chamados lignanas, que equilibram os hormônios, além de apresentarem propriedades antioxidantes. Outras substâncias que as sementes têm em abundância são proteína, ferro, vitamina E e fósforo.

ÁCIDOS GRAXOS ÔMEGA-3

Os frutos do mar e os peixes, em especial o salmão, a truta e o atum, são boas fontes de proteína, nutrientes e ácidos graxos ômega-3, que ajudam a diminuir o risco de doenças cardíacas e a evitar o desenvolvimento de alguns tipos de câncer. O óleo de semente de linhaça é outra fonte excelente desses ácidos.

GORDURAS MONOINSATURADAS

Azeite de oliva, azeitona, óleo de canola e óleo de amendoim, bem como nozes e abacate, contêm gorduras monoinsaturadas que são benéficas para o coração. Esses alimentos auxiliam na redução do mau colesterol (LDL) e no aumento do bom colesterol (HDL). Além disso, podem ajudar a compensar os efeitos negativos da ingestão excessiva dos ácidos graxos ômega-6 presentes em alimentos industrializados.

DICA 42: ABUSE DA SOJA

O feijão-de-soja auxilia na redução do peso e diminui o risco de doenças cardiovasculares, além de proporcionar outros benefícios à saúde. A soja contém fitonutrientes naturais, as isoflavonas, que decompõem a gordura armazenada nas células adiposas. Estudos confirmam que o consumo regular de produtos à base de soja ajuda quem está de dieta a queimar gordura e a emagrecer sem qualquer outra modificação na alimentação. As isoflavonas se mostraram eficazes também na prevenção de doenças cardíacas, pois decompõem a gordura saturada no sangue e, assim, baixam os níveis do mau colesterol (LDL). Testes clínicos revelaram uma incidência significativamente menor de doença coronariana em pacientes que comiam grande quantidade de soja.

Um estudo relacionado mostrou que os suplementos de soja reduziram à metade a probabilidade de desenvolvimento do câncer de cólon. Os suplementos de soja também diminuíram a chance relativa da recorrência desse tipo de câncer nas pessoas com risco elevado. Essa pesquisa foi apresentada na conferência anual do American Institute for Cancer Research. A ingestão de soja em grandes quantidades pode ajudar a retardar o surgimento do câncer de cólon em quem tem alto risco de apresentar essa doença e também nos indivíduos que já tenham removido o câncer inicial cirurgicamente. As isoflavonas da soja podem compensar alguns dos efeitos adversos do hormônio estrogênio no organismo. Comer menos carne e aumentar a ingestão de soja e de fibras limita a chance de aparecimento de tumores uterinos e mamários associados ao estrogênio.

A soja é encontrada em alimentos diversos, como bebidas, tofu, *tempeh*, substitutos da carne, iogurte e alguns produtos de confeitaria. No entanto, esses alimentos devem conter pelo menos 6,5g de proteína de soja e menos de 3g de gordura total por porção, com menos de 1g de gordura saturada por porção, para serem considerados um alimento saudável para o coração. Meia xícara de *edamame* (a soja verde e fresca, ou feijão-de-soja japonês) cozido contém 4g de fibras. Os produtos à base de soja fazem bem ao coração e são ótimos para quem quer manter a forma física.

DICA 43: PIPOCA – UM LANCHE SAUDÁVEL E DE BAIXA CALORIA

Sem o acréscimo de sal, óleo ou manteiga, a pipoca é uma ótima opção de lanche em uma dieta, pois tem poucas calorias e colesterol e é rica em fibras. Consumida dessa forma, ela sacia, fornecendo 2g de fibras e apenas 25 calorias por xícara.

A pipoqueira elétrica a vapor proporciona a maneira mais eficiente de preparar esse lanche porque dispensa o uso do óleo e facilita a limpeza. Além disso, permite fazer uma grande quantidade de pipoca em um período relativamente curto. Esse eletrodoméstico é um ótimo aliado de quem segue uma dieta de baixo colesterol, rica em fibras e pobre em calorias. Embora a maioria das pipocas de micro-ondas contenha muita gordura, já é possível encontrar versões light desses produtos. Verifique o rótulo. Veja a seguir algumas dicas de combinações que vão tornar esse lanche ainda mais saboroso e variado:

- ***Croûtons* de pipoca**. A pipoca pode ser usada em saladas e sopas no lugar dos croûtons de pão.
- **Pipoca e amendoim**. A pipoca e o amendoim (sem sal e torrado) são um excelente lanche noturno. Acompanhe-os de 1 copo de refrigerante diet. Se quiser um sabor mais doce e saudável, adicione algumas passas.
- **Pipoca com maçã**. Fatias de maçã misturadas com pipoca são o lanche ideal.

Seja criativo nas combinações. Pipoca com parmesão, com cheddar, com alho, com passas e canela e com outras frutas além da maçã são alguns exemplos. Misture os ingredientes depois de preparar a pipoca e acrescente pequenas quantidades de açúcar ou gordura ao lanche.

DICA 44: COMA NOZES

Estudos mostram que, além de serem saudáveis, as nozes têm propriedades que ajudam a emagrecer. São também muito nutritivas – contêm ácido fólico, vitamina D, cobre, magnésio, fibras e as benéficas gorduras monoinsaturadas. Têm ainda a vantagem de apresentar alto teor de proteína, que age como um inibidor natural do apetite porque é digerida devagar e, depois, absorvida lentamente pela corrente sanguínea. Quase toda a energia contida na proteína que ingerimos é usada como combustível nas funções metabólicas e, por isso, quase nenhuma das suas calorias é armazenada na forma de gordura. Portanto, as nozes não são apenas benéficas como também não engordam, desde que consumidas em uma quantidade limitada.

Sabe-se que o consumo de quatro a cinco porções de nozes por semana reduz em até 50% o risco de doença coronariana. As nozes têm também a capacidade de baixar o colesterol total em 5 a 10% e o mau colesterol (LDL) em 15 a 20%. Tudo isso graças às suas gorduras monoinsaturadas, que contêm propriedades cardioprotetoras e ajudam a diminuir o apetite. Essas gorduras bloqueiam a produção e a absorção do LDL; e, quanto menos colesterol ruim no sangue, menor o risco de ocorrência de doenças cardíacas. As gorduras monoinsaturadas contribuem, ainda, para a redução da pressão arterial por preservarem a elasticidade natural dos vasos sanguíneos, o que mantém as artérias desobstruídas.

As nozes, sobretudo as comuns (de Natal) e as amêndoas, fazem o cérebro liberar o hormônio *colecistocinina*, ou *colecistoquinina* (CCK), que interfere no mecanismo de controle do apetite, inibindo a fome. Bastam cerca de 60g de amêndoas para liberar esse hormônio. E mais, as nozes são saborosas. Lembre-se, porém, de limitar o tamanho da porção. Oriente-se pelas quantidades sugeridas a seguir.

AS MELHORES NOZES

Esta lista contém uma relação das melhores nozes, os tamanhos indicados das porções e informações nutricionais:

- Amêndoa: 15g ou 12 unidades (80 calorias, 7g de gordura, rica em proteína, magnésio, cálcio e vitamina E)
- Noz comum (de Natal): 15g, ou sete unidades (90 calorias, 9g de gordura, rica em ácidos graxos ômega-3 e ácido alfalinoleico)
- Castanha-de-caju: 15g, ou 10 unidades (80 calorias, 6g de gordura, rica em cobre, magnésio e ferro)
- Avelã: 15g, ou 10 unidades (85 calorias, 8g de gordura, rica em vitamina E, fibras e ferro)

Nozes comuns (de Natal)

Entre os componentes benéficos das nozes comuns está a L-arginina, que dilata as artérias e, portanto, pode proporcionar efeitos cardioprotetores. As nozes ainda contêm fibras, ácido fólico, gamatocoferol e outros antioxidantes que também ajudam a prevenir o enrijecimento das artérias.

De acordo com um estudo publicado na edição de março de 2002 do *Journal of Nutrition*, entre todos os vegetais comestíveis as nozes são os que apresentam as maiores concentrações de antioxidantes. Em uma pesquisa publicada na edição de 6 de abril de 2004 de *Circulation*, o Dr. Emilio Ros, do Hospital Clinic de Barcelona, Espanha, afirmou: "Essa foi a primeira vez que um alimento inteiro, não seus componentes isolados, demonstrou ter esse efeito benéfico sobre a saúde vascular. As nozes comuns diferem de todos os outros tipos de nozes por seu elevado teor de ácido alfalinoleico, um ácido graxo ômega-3 que pode apresentar propriedades cardioprotetoras adicionais."

NOZES BENÉFICAS

Outras nozes também são boas para a saúde, embora não tanto quanto as "melhores" nozes. Veja a seguir uma relação de nozes benéficas, os tamanhos indicados das porções e informações nutricionais:

- Amendoim: 15g, ou 20 unidades (80 calorias, 7g de gordura, rico em proteína, ferro e folato)
- Noz-pecã: 15g, ou 10 unidades (93 calorias, 10,2g de gordura, rica em fibras, cobre e zinco)
- Pistache: 15g, ou 23 unidades (78 calorias, 6,3g de gordura, rico em potássio, fibras e proteína)

NOZES NÃO TÃO BOAS

As nozes relacionadas a seguir devem ser ingeridas apenas esporadicamente:

- Macadâmia: 15g, ou cinco unidades (102 calorias, 10,5g de gordura; uma concentração muito alta de gordura total e calorias)
- Castanha-portuguesa: 15g, ou duas unidades (55 calorias, 0,5g de gordura e um pouco de folato; embora contenha poucas calorias e gordura, não proporciona benefícios nutricionais que protejam o coração)

DICA 45: BEBA CHÁ VERDE

Pesquisas indicam que a ingestão de chá verde proporciona uma ajuda natural ao emagrecimento e à redução da pressão arterial. Um estudo londrino revelou que tomar esse chá diariamente auxilia na perda de peso por meio de um processo chamado termogênese. A termogênese é controlada pelo sistema nervoso simpático e eleva a taxa de energia metabólica basal, causando, assim, a oxidação da gordura, isto é, promovendo a queima da gordura no organismo. Os compostos vegetais presentes nesse chá, em especial a cafeína e as catequinas, associam-se para intensificar a termogênese. Outra pesquisa sobre o assunto publicada pelo *American Journal of Clinical Nutrition* mostrou que o consumo diário de duas xícaras de chá verde aumenta a taxa metabólica basal (TMB) em 4% em um período de 24 horas. Ao contrário do que fazem medicamentos como a efedrina, os extratos desse chá não aceleram a frequência cardíaca nem estão associados a efeitos cardiovasculares prejudiciais.

Outros estudos indicam que os compostos químicos do chá verde também podem ajudar a baixar o colesterol. Uma pesquisa publicada na edição de setembro de 2004 de *Archives of Internal Medicine* registrou uma queda significativa da pressão arterial entre as pessoas que bebiam chá verde com regularidade. Os participantes que tomaram uma ou duas xícaras de chá verde ou de chá *oolong* diariamente por cerca de um ano reduziram em pelo menos 65% o risco de apresentar hipertensão arterial. Trabalhos anteriores divulgados pelo National Science Council, de Taiwan, relataram efeitos idênticos de diminuição da pressão arterial decorrentes da ingestão de chá verde.

É importante observar que esses estudos, em sua maioria, são preliminares e que muitas pessoas são sensíveis à cafeína e a outros compostos vegetais presentes nos chás, sobretudo no chá verde. Se você costuma beber chá e esse hábito não lhe causa nenhum problema de saúde, consumir até duas xícaras de chá verde por dia pode ser útil no seu programa de emagrecimento. Fique longe das pílulas e dos extratos de chá verde e de plantas do gênero vendidos em lojas de produtos naturais, pois não há como saber se esses itens contêm aditivos nocivos. Escolha sempre chás de marcas conhecidas. Caso você sofra de hipertensão, doenças cardíacas ou diabetes, consulte um médico antes de usar o chá verde como auxílio em um programa de emagrecimento.

DICA 46: VÁ EM FRENTE, COMA CHOCOLATE!

O chocolate costuma ser o calcanhar de aquiles de muitas pessoas que fazem dieta. Supostamente rico em gordura e calorias, há anos é proibido na alimentação de quem deseja emagrecer. No entanto, há boas notícias que nos fazem repensar seu valor em um programa nutricional balanceado. Além do ótimo sabor, o chocolate contém qualidades saudáveis redentoras.

Um grande número de estudos indica que o chocolate é benéfico para o coração. O chocolate amargo é rico em flavonoides antioxidantes, que podem ajudar a reduzir o mau colesterol (LDL), elevar o bom colesterol (HDL) e combater os nocivos radicais livres, que danificam as células. Os antioxidantes contribuem também para prevenir a formação de coágulos sanguíneos e inflamações nas artérias que levam sangue ao coração. Pesquisas mostram que o chocolate amargo baixa a pressão arterial de pacientes hipertensos.

Prefira o chocolate amargo ou o meio amargo, que têm três vezes mais flavonoides do que o chocolate ao leite. Um estudo revelou que os efeitos cardioprotetores do chocolate são reduzidos quando esse alimento é ingerido com leite (essa combinação parece ligar os antioxidantes, deixando-os inacessíveis para uso no organismo). Supõe-se que o aquecimento do chocolate libera os antioxidantes.

Portanto, se você adora chocolate, saiba que essa delícia não prejudicará sua dieta. Uma pequena pastilha de hortelã coberta com chocolate tem apenas 1,5g de gordura total e 0,8g de gordura saturada. Em um quadrado de chocolate amargo, há 3,5g de gordura total e 1,5g de gordura saturada. O chocolate pode, sim, ajudar a emagrecer, pois sacia a vontade de comer doce e satisfaz o mecanismo cerebral que controla a fome, evitando exageros alimentares. Ele também eleva o nível das substâncias químicas responsáveis pelo bem-estar, as endorfinas, que auxiliam no relaxamento e acalmam os nervos de quem segue dietas rigorosas. Aproveite!

DICA 47: DIETA NADA COMO UM DIA APÓS OUTRO

Roma não foi feita em um dia, muito menos você. É fácil modificar os hábitos alimentares introduzindo pequenas mudanças a cada semana até adotar de vez uma dieta saudável. Para emagrecer de forma lenta e constante, promova modificações graduais no seu estilo de vida e na sua alimentação. Caso tente emagrecer muito em pouco tempo, provavelmente acabará desanimado. Veja a seguir boas dicas para fazer dieta um dia de cada vez:

- Não tente perder 8kg por mês. Em vez disso, defina metas realistas.
- Faça mudanças graduais na alimentação. Por exemplo, aumente a ingestão de frutas em determinada semana e consuma menos alimentos calóricos e gordurosos na semana seguinte. Uma semana depois, inclua mais hortaliças nas refeições e diminua a quantidade de amiláceos, como milho e batata-inglesa. Na semana seguinte, substitua grãos refinados, como arroz e pão brancos e produtos de confeitaria, por cereais e pães integrais. Com o passar do tempo, você melhorará sua alimentação sem abalar o organismo ou o paladar por mudar tudo ao mesmo tempo.
- Ao iniciar um programa de atividade física, não comece com duas horas de exercícios. Em vez disso, estabeleça a meta de caminhar por 15 minutos todo dia nas duas primeiras semanas. Depois, aumente para 20 minutos. Daí em diante, você logo chegará aos 30 minutos diários. Caminhe sempre que possível - na hora do almoço, depois do jantar ou pela manhã. Em pouco tempo, você começará a se sentir mais saudável e mais disposto, sem se precipitar.
- Antes de modificar sua alimentação, pense em tudo o que você come diariamente. Concentre-se em fazer as refeições em intervalos regulares, todos os dias no mesmo lugar. Coma somente à mesa, nunca diante da TV ou do computador, muito menos enquanto fala ao telefone. Alimente-se devagar e pare quando estiver satisfeito - não espere até se sentir empanzinado.
- Em vez de tentar eliminar os lanches da alimentação, substitua-os por lanches saudáveis. No lugar de um doce, coma uma fruta ou

outro alimento com pouca gordura e rico em fibras. Desse modo, você não se sentirá privado mesmo fazendo dieta.

- Fazer regime não é nada divertido se você sabe que não pode comer nenhum tipo de doce de vez em quando. Em vez de eliminar radicalmente a sobremesa, encontre alternativas com pouca gordura e mais saudáveis do que a torta com sorvete. Um iogurte desnatado saciará sua vontade de comer doce antes de dormir. Ou dê a si mesmo um presente: um quadradinho de chocolate meio amargo.

DICA 48: ANOTE EM UM DIÁRIO TUDO O QUE VOCÊ COMER E OS EXERCÍCIOS QUE PRATICAR

Muitas vezes, subestimamos a quantidade de alimentos que comemos ou perdemos a noção do número de vezes que não resistimos à sobremesa. Por isso é uma boa ideia criar um diário de alimentação antes de iniciar qualquer dieta ou programa de atividade física. Pegue uma caderneta e registre os seguintes tópicos:

1. O horário de cada refeição.
2. O que você comeu e bebeu em cada refeição. Seja específico, descreva as quantidades. E o mais importante: seja sincero.
3. Inclua tamanhos estimados de porções:
   - O tamanho do seu punho equivale a cerca de 1/2 xícara de massa, arroz ou hortaliças.
   - O tamanho da palma da sua mão equivale a cerca de 90 a 120g de proteína.
4. Onde você estava quando comeu? Em casa, no trabalho, em uma festa?
5. Estava com fome?
6. Estava estressado, relaxado, chateado, bravo ou se sentindo culpado?
7. Registre as atividades físicas praticadas naquele dia.
8. Pese-se uma vez por semana e anote o resultado.

Após uma ou duas semanas, verifique suas anotações para ver de que maneira você se alimenta. Este é apenas um teste pessoal, não se trata de dar respostas certas nem de alcançar determinada nota.

1. Você faz duas, três ou quatro refeições por dia?
2. Belisca muito entre elas?
3. Quanto tempo fica sem comer entre as refeições e os lanches?
4. Você come porque está com fome, chateado, bravo ou se sentindo culpado?
5. Alguns tipos de emoções fazem com que você coma demais?
6. Você ingere alimentos saudáveis, como frutas, hortaliças, proteína magra e itens integrais?
7. Come alimentos prejudiciais à saúde, gordurosos e altamente calóricos?
8. Quantas calorias e qual a quantidade de gordura e açúcar você consome por dia?
9. Você se alimenta porque está com fome ou só porque acha que é hora de fazer isso?
10. Pratica algum tipo de exercício?
11. Faz lanches e refeições diante da televisão ou do computador?
12. Come tarde da noite, pouco antes de dormir?

O seu diário alimentar é um ponto de partida necessário para avaliar seu estilo de alimentação e seu nível de atividade física. Depois de analisar as respostas do teste pessoal, comece a ajustar, gradualmente, seus hábitos nessas duas áreas.

DICA 49: PEQUENAS MUDANÇAS NO ESTILO DE VIDA FAZEM UMA GRANDE DIFERENÇA

Veja a seguir uma lista de mudanças de estilo de vida. Elas são fáceis de adotar e ajudarão você a se ajustar.

- Coma devagar em todas as refeições e lanches. Leve à boca quantidades pequenas de comida e em intervalos maiores. Mastigue cada uma dessas porções um número maior de vezes. Faça pausas durante a refeição.

- Se continuar sentindo fome depois de comer, espere por pelo menos 15 minutos para ter certeza de que quer mais. Na maior parte das vezes, o mecanismo cerebral que controla o apetite estará mais do que satisfeito no fim desse período, e você não precisará repetir.
- Mantenha os alimentos longe do alcance da sua visão entre as refeições, seja na geladeira, seja na despensa. Não os deixe onde possa vê-los com frequência.
- Limite o local das refeições a um, no máximo dois. Se você não tem um lugar fixo para comer, é provável que faça isso em todos os cômodos. No entanto, quando a área de alimentação fica restrita a apenas um ponto, as chances de beliscar durante o dia diminuem.
- Jamais se alimente enquanto assiste à televisão ou lê, pois tendemos a comer mais quando não nos concentramos na refeição.
- Deixe a mesa assim que terminar a refeição e permaneça menos tempo na cozinha ou em outros lugares onde costuma pensar em comida.
- Não coloque as travessas de alimentos na mesa durante as refeições, assim não se sentirá tentado a repetir.
- Não use a comida para aliviar a tensão. As pessoas costumam consumir doces e alimentos gordurosos quando estão sob estresse. Substitua-os por música, exercícios, meditação ou um banho quente.
- Não pule o café da manhã. Quem tem esse hábito acaba fazendo lanches gordurosos e com muito açúcar, como café acompanhado de bolo, no meio da manhã. Um cereal rico em fibras e pobre em gordura, misturado com frutas ou leite desnatado, é uma boa opção para se manter saciado até a hora do almoço.
- Beba pelo menos 6 copos de 240ml de água todo dia. Evite tomar bebidas adoçadas artificialmente, pois elas baixam os níveis de açúcar no sangue (glicose) e aumentam o apetite.
- Torne suas refeições atrativas com alimentos coloridos – folhas verdes, cenoura, tomate, brócolis, espinafre, pimentões, inhame, aipo e salsa. Varie o cardápio diariamente para não enjoar da comida. Lembre-se de que, quanto mais coloridos são os alimentos, mais nutrientes eles contêm.
- Evite o açúcar em refrigerantes, chás e sucos. Tome sucos de laranja e de grapefruit feitos na hora, suco de tomate, refrigeran-

tes diet, chás e cafés descafeinados. Ou faça da água, filtrada ou mineral, sua bebida favorita.

- Evite tomar café ou chá com cremes, leite integral e chantili. Substitua-os por leite desnatado. O chantili industrializado pode conter gordura trans - se você encontrar as expressões "gordura hidrogenada" ou "parcialmente hidrogenada" na lista dos ingredientes desse produto, coloque-o de volta na prateleira.
- Prefira leite desnatado. Ele é livre de gordura, mas contém cálcio, vitaminas e minerais, assim como o leite semidesnatado e o integral. E seu sabor também é bom.
- Não comece um programa de emagrecimento pouco antes de datas festivas ou das férias, pois são épocas pouco favoráveis para se realizar esse tipo de projeto.
- Coma saladas verdes e hortaliças antes do prato principal, pois elas ajudarão a aplacar sua vontade de ingerir quantidades maiores de refeições mais calóricas com carne, frango ou peixe.
- Quando for comer uma salada, o ideal é não usar molho nenhum. Os molhos prontos são ricos em gordura e calorias. Substitua-os por ervas, condimentos, limão e vinagre ou, de vez em quando, use uma pequena porção de molho light. Se não resistir às versões mais calóricas desses produtos, coloque o molho em um recipiente à parte e mergulhe o garfo nele uma vez ou outra. Assim, aproveitará o sabor sem ingerir calorias extras.
- Hortaliças e frutas frescas ou congeladas são preferíveis a frutas e hortaliças em lata, que podem conter grande quantidade de sal ou açúcar.
- Alimentos quentes, como sopas, bem como aqueles que exigem muita mastigação, proporcionam uma sensação maior de saciedade porque demoram mais tempo para serem engolidos e absorvidos.
- Retire sempre toda a gordura visível da carne ou do frango antes de cozinhar esses alimentos e remova a gordura visível antes de comê-los. Ao comprar peixes enlatados, como atum e salmão, opte pelos que são conservados em água. Se adquirir os que vêm com óleo, escorra-os completamente.
- As panelas revestidas de teflon ajudam a reduzir a quantidade de gordura usada no preparo da comida.

- Não vá ao supermercado quando estiver com fome. Se fizer isso, acabará comprando alimentos calóricos por impulso. Prepare uma lista de itens saudáveis antes de sair e atenha-se a ela.
- Antes de comprar alimentos embalados ou enlatados, observe se eles contêm mais de 2g de gordura saturada por porção. Se a quantidade for superior a isso, dê preferência a outra marca. Sempre procure produtos light ou com pouca gordura. Em todo caso, lembre-se de verificar as informações nutricionais no rótulo e não confie naquelas que registram apenas "alimento com baixo teor de gordura". Muitos itens light são ricos em gordura total. Por exemplo, algumas marcas de leite semidesnatado podem conter 5g de gordura. Portanto, adquira somente os alimentos que apresentam, no máximo, 2g de gordura saturada.
- O excesso de álcool é uma das maiores ameaças a qualquer programa de emagrecimento. As calorias adicionais provenientes desse tipo de bebida costumam causar o aumento de peso e fazer com que ele se mantenha. O álcool tem mais calorias do que a maioria dos alimentos (sete calorias por grama). Experimente substituí-lo por água tônica diet com gotas de limão ou por água mineral. Limite seu consumo a dois ou três drinques por semana.

DICA 50: CALCULE O ÍNDICE DE MASSA CORPORAL QUE VOCÊ DESEJA ALCANÇAR

O Índice de Massa Corporal (IMC) é uma medida usada para indicar se a pessoa está obesa ou apenas acima do peso. O IMC é igual ao peso corporal em quilos dividido pelo quadrado da altura em metros. É mais fácil consultar as tabelas de IMC em revistas de saúde e em sites da web. Mas, se você preferir executar o cálculo, use a seguinte fórmula:

$$\text{IMC} = \text{kg} / \text{m}^2$$

Por exemplo, se você mede 1,75m e pesa 85kg, multiplique **1,75 x 1,75 = 3,062**. Depois divida o peso por esse resultado, ou seja:

85 / 3,062 = 27,75

Os valores de IMC inferiores a 18,5 estão na categoria abaixo do peso. Aqueles que se encontram entre 18,5 e 24,9 estão normais. Os que estão entre 25 e 29,9 recebem a classificação acima do peso. Os que se situam entre 30 e 34,9 e entre 35 e 39,9 indicam obesidade. Um IMC acima de 40 revela obesidade extrema. Veja a seguir a probabilidade de ocorrência de doenças cardíacas em cada uma dessas faixas de IMC.

Índice de Massa Corporal

IMC	Peso	Risco de doenças cardíacas
18,5 – 24,9	Normal	Nenhum
25 – 29,9	Acima do peso	Aumentado
30 – 34,9	Obeso	Alto
35 – 39,9	Obeso	Muito alto
40 ou mais	Extremamente obeso	Extremamente alto

Doenças cardíacas e derrame são as principais causas de incapacidade e morte nos Estados Unidos, e o excesso de gordura corporal aumenta o risco de desenvolvimento desses problemas. Além disso, quem está acima do peso tem duas vezes mais chances de apresentar diabetes do tipo 2, que se inicia na vida adulta.

De qualquer modo, se você está fora do peso ideal no momento, não entre em pânico. Apenas aumente o nível de atividade física para 30 minutos de caminhada, dia sim, dia não. Isso o fará perder de 5 a 10% do peso atual e diminuirá em mais de 50% seu risco de ter doenças cardíacas, derrame e diabetes. Estudos mostram que pessoas com sobrepeso ou obesas que se exercitam regularmente e passam a adotar uma alimentação saudável obtêm melhoras no que se refere à pressão arterial, ao controle da diabetes, à função cardíaca, ao perfil lipídico (colesterol e triglicerídios), a problemas do sono e, de modo geral, à sensação de bem-estar e à autoestima.

Ao definir sua meta alimentar, você está dando o primeiro passo para se tornar uma pessoa mais saudável.

DICA 51: ADOTE MEDIDAS FÁCEIS PARA COMBATER A VONTADE DE COMER

Pesquisadores concluíram que a vontade de comer pode ter tanto um componente fisiológico quanto um componente emocional. O desejo de tomar sorvete ou de comer pizza e sanduíches gigantescos não se origina necessariamente no estômago. Veja a seguir algumas sugestões de como combater esses anseios que sabotam a dieta.

A VONTADE DE COMER MOTIVADA PELO COMPONENTE FISIOLÓGICO

Às vezes, a vontade de comer pode ter uma motivação fisiológica. Veja algumas maneiras de lidar com ela:

A vontade de comer carboidratos

O forte desejo de comer carboidratos, como doces, bolos, batata chip de saquinho e biscoitos salgados, pode ser causado pelos baixos níveis de açúcar no sangue (glicose). Às vezes, esse problema surge porque ficamos sem nos alimentar durante muitas horas. Mas ele também pode ser o resultado de uma frustração emocional, e tem sido observado com maior frequência em mulheres no período pré-menstrual em decorrência das flutuações hormonais. Carboidratos complexos, como frutas, hortaliças e cereais integrais, têm a capacidade de diminuir a vontade de ingerir carboidratos refinados. O leite desnatado e os queijos light, ricos em proteína, também costumam ajudar.

A vontade de comer alimentos salgados

O intenso desejo de comer alimentos salgados, como picles, batata chip de saquinho e azeitonas, pode ser devido à carência de sal provocada pela transpiração excessiva ou por uma situação estressante que estimule as glândulas suprarrenais. Um meio de amenizar essa vontade é substituir o sal por suco de limão e ervas. Outra medida útil é incluir na dieta frutas frescas ricas em vitamina C, como laranja, grapefruit, banana, melão-cantalupo e morango.

Cafeína

A cafeína é um estimulante presente no café, no chá e nas bebidas à base de cola. Cacau e chocolate contêm teobromina, uma substância semelhante à cafeína. Muitas pessoas são dependentes de cafeína. A interrupção do seu consumo provoca sintomas de abstinência, como dor de cabeça, cansaço, náusea, irritabilidade e forte vontade de comer açúcar. Para diminuir essa dependência, é necessário reduzir gradualmente a quantidade de cafeína na dieta, substituindo-a por bebidas como café descafeinado, chás de ervas, refrigerantes diet e sem cola, água mineral ou água tônica diet.

AS EMOÇÕES E A VONTADE DE COMER

As emoções desempenham um inegável papel no desejo de comer. Veja a seguir algumas das emoções mais comuns que desencadeiam o problema e o que você pode fazer para dominá-las antes que elas superem a sua boa intenção de seguir uma dieta:

Ansiedade e estresse

Pessoas ansiosas ou estressadas costumam sentir vontade de comer doces e alimentos calóricos. A ansiedade e o estresse fazem com que as glândulas suprarrenais e a pituitária produzam determinados hormônios que estimulam o mecanismo cerebral que controla a fome a ansiar por alimentos contendo açúcar refinado e carboidratos (bolos, tortas e doces). Esses itens costumam diminuir temporariamente a ansiedade porque aumentam de imediato os níveis de açúcar no sangue, proporcionando uma sensação de calma. No entanto, com essa súbita elevação nos níveis de glicose ocorre um pico nas taxas de insulina seguido de uma queda ainda mais rápida da glicose, o que traz a ansiedade de volta bem depressa.

Você pode dominar a vontade de comer causada por esses fatores consumindo alimentos com poucas calorias e crocantes, como maçã, aipo, talos de cenoura e biscoitos light de trigo integral. Como a mastigação desses itens demanda um tempo maior, a ansiedade induzida pelo estresse é amenizada sem causar um rápido aumento nos níveis de açúcar no sangue. O processo de mastigação faz também com que os músculos da face e do pescoço relaxem, o que alivia o estresse.

Depressão e tristeza

Algumas vezes, quando estamos tristes ou deprimidos, a primeira coisa que fazemos é substituir a salada por um doce. Essa rápida "injeção" de açúcar eleva os níveis de glicose, o que, por sua vez, aumenta a produção de insulina pelo pâncreas (glândula situada na parte posterior do estômago). As altas taxas desse hormônio intensificam a produção de serotonina, substância que melhora o humor. Passamos a nos sentir mais relaxados e calmos. Na verdade, é assim que os antidepressivos funcionam - aumentando o nível de serotonina no cérebro.

Acontece que a taxa dessa substância cai depois que a insulina baixa, e os sentimentos de tristeza e depressão logo retornam. Para combatê-los, podemos manter o nível de serotonina alto por mais tempo comendo frutas. Esses alimentos elevam gradualmente os níveis de glicose porque seu açúcar, a frutose, é absorvido devagar. As taxas de insulina se normalizam, causando um aumento estável e prolongado nos níveis de serotonina no sangue e no cérebro.

Tédio

Quem come porque está se sentindo entediado ou cansado costuma fazer lanches com carboidratos que contêm açúcar refinado, como bolos, balas e doces, que são fáceis de comprar e consumir. Um café com leite e creme pode ser delicioso, mas a cafeína e o açúcar interferem na produção de endorfinas (substâncias que proporcionam a sensação de bem-estar) e serotonina. Por isso, em vez de ficar relaxada e calma depois de se alimentar, a pessoa se sente irritada e ainda mais agitada.

As nozes, particularmente as comuns (de Natal), e as amêndoas são ótimas opções de lanche para os momentos de tédio, pois fornecem ácidos graxos ômega-3, que aliviam as sensações de cansaço e enfado. Misturadas com uva-passa, elas são ideais para melhorar o humor e fornecer energia.

Descontentamento

As pessoas que se sentem infelizes ou estão de mau humor costumam ansiar por alimentos ricos em gordura e carboidrato, como pizza e carne vermelha cobertas de queijo e cebola. Esses alimentos contêm proteína e gordura, que ajudam a produzir endorfinas, substâncias que proporcionam a sensação de bem-estar. Eles também possuem grandes quantidades de gordura e calorias, ambas excelentes para destruir qualquer plano de seguir uma dieta saudável.

Para aumentar a quantidade de endorfinas no seu organismo sem correr o risco de engordar, substitua os carboidratos refinados por cereais e pães integrais com alto teor de fibras. Além disso, troque as indesejadas calorias provenientes da gordura extra por queijos light, iogurte, peru, frango e peixe. Esses alimentos ricos em carboidratos complexos e proteína produzem endorfinas e serotonina, que mantêm o bom humor e a sensação de bem-estar, assim você melhora o ânimo com menos gordura e calorias.

DICA 52: EXPERIMENTE UMA FÓRMULA SIMPLES PARA EMAGRECER

Para perder os quilos indesejados, experimente a fórmula 20/20, isto é, não coma mais do que 20g de calorias provenientes de gordura total e consuma pelo menos 20g de fibra alimentar todos os dias.

NÃO COMA MAIS DO QUE 20G DE GORDURA POR DIA

O excesso de gordura na alimentação provoca doenças cardíacas, diabetes, problemas cardiovasculares e câncer de mama e de útero. Ingerir uma quantidade menor de gordura permite uma queima maior da gordura armazenada como combustível. Assim, tanto você quanto suas células adiposas ficam bem e magros.

- Cada grama de gordura contém nove calorias, enquanto cada grama de carboidrato e de proteína possui somente quatro calorias. (Cerca de 500g de gordura corporal tem 3.500 calorias.)
- A gordura é a principal responsável por doenças cardíacas letais, além de prejudicar a aparência.
- Consulte uma tabela nutricional para saber qual é o total de gordura de diversos alimentos e mantenha um registro de tudo o que comer.
- Para manter o peso ideal, não ingira mais do que 20g de gordura por dia.

CONSUMA PELO MENOS 20G DE FIBRA ALIMENTAR DIARIAMENTE

O consumo de alimentos ricos em fibra ajuda a emagrecer porque, quando comemos esses itens, o estômago se esvazia mais lentamente, o que prolonga a sensação de saciedade. Como as fibras contêm menos calorias e muito volume, elas satisfazem mais rapidamente o mecanismo cerebral que controla a fome, enchendo o estômago sem nos fazer engordar. Elas têm também a capacidade de absorver grande quantidade de água e, portanto, regulam o trânsito dos alimentos no sistema digestivo. Além disso, contribuem para baixar o colesterol e o risco de desenvolvimento de problemas cardíacos, hipertensão e derrame.

- Frutas, hortaliças e grãos integrais são ricos em fibras e possuem muitos nutrientes e antioxidantes.
- Consulte uma tabela nutricional para saber a quantidade de fibras em diversos alimentos e mantenha um registro de tudo o que comer.
- Para manter o peso ideal, não coma menos do que 20g de fibras por dia.

DICA 53: COMA EM CASA MAIS VEZES

O aumento da obesidade coincide com o maior número de refeições feitas fora de casa. Com um ritmo de vida cada vez mais acelerado, acabamos optando por comer em restaurantes e lanchonetes, o que provoca uma série de problemas alimentares. Por exemplo, esses estabelecimentos costumam servir porções enormes, muito maiores do que aquelas que preparamos em casa. Além disso, na nossa cozinha, podemos escolher alimentos saudáveis, mas, em um restaurante, não temos como determinar o modo de preparo da comida.

A solução é fazer um esforço para preparar as refeições em casa. Consulte as Dicas 73-82 para ver opções de pratos saudáveis. Se você sabe que ficará no escritório o dia inteiro, mas está tentando controlar a alimentação, prepare um almoço com pouca gordura na noite anterior, elabore alguns lanches saudáveis e leve-os para o trabalho. Caso você não tenha tempo de cozinhar todas as noites, prepare duas ou três refeições nos dias que estiver menos atarefado, como nos sábados e domingos, e terá opções saudáveis durante a semana.

E, quando precisar comer em um restaurante, não coma tudo o que for servido naquelas lautas refeições. Satisfaça-se com a metade e leve o restante para casa ou divida o prato com alguém. Leia a Dica 79 para sugestões de escolhas inteligentes.

DICA 54: CAMINHE ANTES E DEPOIS DE COMER

Estudos mostram que caminhar antes das refeições diminui o apetite. (Veja a Dica 85.) Além disso, andar por 45 a 60 minutos depois de comer acelera a taxa metabólica, e as calorias são queimadas mais rapidamente.

Essa queima mais acelerada de calorias foi explicada como uma combinação da energia gasta com o exercício e as calorias queimadas na própria digestão. (Veja a Dica 90.) Na realidade, queimamos mais calorias depois de comer porque nesse período a energia metabólica do organismo aumenta entre 5 e 10%. Isso não significa que, quanto mais comemos, mais calorias queimamos. Contudo, é um bom motivo para caminharmos por um período de 45 a 60 minutos após as pequenas refeições, pois isso favorece o emagrecimento.

Andar antes e depois de comer ajuda a diminuir a ingestão de calorias e a aumentar a queima calórica. Desse modo, conseguimos perder peso mais rápido e com mais facilidade. Leia a partir da Dica 83 para obter outras informações sobre os benefícios das atividades físicas e sobre como iniciar um programa de caminhada e exercícios.

DICA 55: CONHEÇA ALGUMAS DICAS PARA PERDER A BARRIGA

Todos nós temos um pouco de gordura localizada que gostaríamos de perder. Uma das áreas mais problemáticas para muita gente é a do abdômen. Veja algumas dicas específicas para se livrar da barriga.

EVITE GORDURAS SATURADAS

As pessoas que adotam uma alimentação rica em gordura saturada são mais propensas a acumular gordura abdominal em torno de órgãos vitais, como o fígado, o pâncreas e os intestinos. Esse tipo de gordura, conhecido como visceral, aumenta o risco de diabetes, esteatose hepática e problemas cardíacos. A gordura visceral é o resultado direto da ingestão de gorduras saturadas provenientes de carnes gordurosas, frios, queijos, manteiga e outros itens fabricados com leite integral, bem como de alimentos processados que contêm as terríveis gorduras trans.

Em alguns casos, entretanto, a genética é um fator importante no acúmulo excessivo de gordura abdominal. Assim, é preciso um esforço adicional para limitar a ingestão de produtos com gordura saturada a no máximo 10% do consumo diário de calorias. As pessoas que, por um fator genético, concentram muita gordura na região abdominal e que também possuem colesterol alto, independentemente de seguirem à risca uma boa dieta, devem consultar um médico sobre a possibilidade de tomar um medicamento para reduzir o colesterol.

Evite carboidratos refinados

Os carboidratos refinados que consumimos são rapidamente absorvidos pela corrente sanguínea, causando um pico na produção de insulina. Esse excesso de insulina faz com que os carboidratos refinados digeridos sejam encaminhados para as células de gordura. Como as células adiposas da barriga estão próximas do trato digestivo e como o abdômen contém o número mais concentrado dessas células no organismo, a maior parte desses carboidratos vai direto para essa região. Depois que a insulina conclui a tarefa de baixar os níveis de açúcar no sangue (glicose) e armazenar gordura nas células adiposas do abdômen, as taxas de glicose diminuem, fazendo com que a vontade de comer carboidratos retorne. É um processo sempre prejudicial.

À medida que envelhecemos, a vontade de comer carboidratos aumenta. E, quanto mais carboidratos consumimos, mais calorias armazenamos no abdômen na forma de gordura. Determinadas alterações nos hormônios que regulam o sistema digestivo nos tornam cada vez mais incapazes de usar os carboidratos como combustível, o que aumenta a probabilidade de os estocarmos na forma de gordura. Isso se transforma em um círculo vicioso, pois a gordura acumulada na barriga intensifica o desejo de comer mais carboidratos – ela inibe a produção de um hormônio chamado leptina, que queima gordura e ajuda a manter estáveis os níveis de açúcar no sangue. Consequentemente, quanto mais gordura abdominal, maior a facilidade de engordar, porque menos leptina é produzida e, assim, menos gordura é eliminada.

Se você evitar comer gorduras saturadas e carboidratos refinados, começará a perder gordura abdominal. À medida que a gordura estocada em seu abdômen for diminuindo, a vontade de comer carboidratos também se reduzirá e, desse modo, você conseguirá eliminar cada vez mais gordura nessa região.

O PÃO BRANCO E A GORDURA ABDOMINAL

De acordo com um estudo realizado na Tufts University, em Boston, as pessoas que consomem grandes quantidades de pão branco têm mais gordura abdominal do que as que comem grãos integrais. O pão branco parece ir direto para o abdômen, onde é armazenado na forma de gordura. Os participantes que ingeriam mais pão branco também eram os mais gordos e apresentavam um risco maior de desenvolver problemas cardíacos.

COMA ALIMENTOS RICOS EM FIBRAS

A ingestão de alimentos ricos em fibras ajuda a bloquear uma boa parte da absorção de amidos e carboidratos refinados. As fibras formam uma rede que envolve os amidos, carregando-os para fora do trato digestivo quase que completamente intactos, não digeridos. Com isso, uma quantidade menor de açúcar e insulina entra na corrente sanguínea, o que diminui a vontade de comer carboidratos. Quanto menos carboidratos ingerimos, mais gordura abdominal eliminamos e mais medidas perdemos nessa região.

Alguns alimentos ricos em fibras, sobretudo o feijão (branco, mulatinho, fava, grão-de-bico), contêm um composto inibidor que impede as enzimas pancreáticas, amilase e lipase, de decompor os amidos refinados. Com isso, o trato digestivo deixa de assimilar esses amidos e eles são transportados para fora do corpo. Desse modo, a elevação dos níveis de açúcar no sangue é bem mais lenta, o que, por sua vez, não provoca um pico na produção de insulina nem a subsequente vontade de comer carboidratos. O resultado de tudo isso é menos gordura armazenada na barriga.

Caminhe para se livrar da gordura abdominal

Embora não exista uma dieta mágica que faça a gordura abdominal desaparecer, comer os alimentos certos e caminhar facilita a sua eliminação. Um exercício aeróbico como a caminhada é a fórmula secreta capaz de fortalecer os músculos abdominais e ajudar você a se livrar da barriga.

Quando caminhamos rápido e com uma passada larga e regular, contraímos e relaxamos os músculos do peito, das costas e do abdômen. A cada passo, esses músculos se tensionam para manter o corpo ereto. A musculatura abdominal se contrai de modo automático - exatamente como faria se estivéssemos realizando um exercício específico para enrijecê-la –, porém com a vantagem de não forçar a região lombar. À medida que andamos, os músculos peitorais ajudam a contrair os músculos abdominais inferiores. Essa combinação de contrações musculares da parte superior do peito e inferior do abdômen é o que proporciona uma barriga firme e reta.

Caminhadas regulares enrijecem os músculos abdominais, favorecem a eliminação da gordura da barriga e, de quebra, contribuem para diminuir medidas nos quadris, nas coxas e nas nádegas. Como a caminhada é uma atividade aeróbica de intensidade moderada, ela queima gordura em vez de carboidratos. Quando esse exercício é realizado com pesos leves nas mãos (veja a Dica 96), obtemos um abdômen definido com mais rapidez, pois estamos, ao mesmo tempo, nos livrando da gordura e desenvolvendo músculos.

Lembre-se de que, normalmente, a parte do corpo que foi a última a acumular gordura é a primeira a "afinar" quando tiramos a gordura saturada da alimentação. Portanto, se você engordou e agora está vendo a sua barriga aumentar, vai perceber que se livrará de alguns centímetros na cintura quando começar a dieta pobre em gordura. Ao reduzir a ingestão de gordura e calorias, emagrecerá de forma geral e perderá até mesmo aquela feiosa barriga.

DICA 56: ALIMENTE-SE COMO OS FRANCESES

Nutricionistas, médicos e pessoas que fazem dieta têm estudado a alimentação francesa, e por um bom motivo. Na última década, o aumento da taxa de obesidade entre os franceses foi de apenas 8 a 10%, enquanto o da população americana, por exemplo, ficou entre 20 e 25%. Além disso, a incidência de doenças cardíacas e câncer de mama é muito menor na França do que nos Estados Unidos. Portanto, se você também é fã de hambúrguer e batata frita, deixe-os de lado e experimente alguns saudáveis truques da alimentação francesa. O seu corpo e a sua cintura agradecerão.

O PARADOXO FRANCÊS

Embora consumam quase duas vezes mais gordura saturada do que os americanos, os franceses correm apenas 1/3 do risco de apresentar problemas cardíacos. Em parte, eles devem a saúde do seu coração ao *vin rouge*, ou vinho tinto.

Conhecemos pelo menos três fatores que favorecem a aterosclerose (formação de depósitos de colesterol nas artérias, que se tornam enrijecidas):

- Excesso de atividade plaquetária. Isso causa uma aglomeração das células sanguíneas e pode provocar infarto e derrame.
- Nível elevado do mau colesterol (LDL). Radicais livres podem oxidar o LDL e promover o acúmulo de placas nas artérias.
- Danos às células endoteliais que revestem o coração e os vasos sanguíneos.

Descobriu-se que uma dieta rica em uva roxa aumenta a flexibilidade dos vasos sanguíneos. Quanto mais flexíveis eles são, mais se dilatam, permitindo que o sangue flua com facilidade para todos os tecidos, órgãos e células. O aumento no fluxo sanguíneo ajuda a diminuir a oxidação do mau colesterol, além de reduzir a chance de aterosclerose. O segredo para prevenir esse enrijecimento das artérias está em um flavonoide chamado transresveratrol, que é encontrado nas uvas roxas. Esse benefício parece ser proporcionado também pelo consumo de vinho tinto, que contém o mesmo tipo de flavonoides que as uvas roxas (*Circulation* 100: 1.050-1.055; outubro de 1999) e aumenta o nível do bom colesterol (HDL).

O estudo desse tema, conhecido como o paradoxo francês, ajuda a explicar a baixa incidência de doenças cardíacas na França, onde o consumo de vinho tinto é alto. Comer uva roxa ou tomar suco de uva proporciona um efeito protetor semelhante contra doenças cardíacas, sem o conteúdo de álcool, pois tanto a fruta quanto o suco possuem os flavonoides benéficos para o coração.

BON APPÉTIT!

Não é apenas o vinho que garante a saúde dos franceses. É também o preparo e a ingestão de alimentos saudáveis e frescos, bem como o hábito de fazer refeições de maneira relaxada e prazerosa. Os franceses elaboram e saboreiam a comida com toda a calma, ao contrário de outros povos, que tanto preparam suas refeições rapidamente quanto comem com toda a pressa em restaurantes e lanchonetes sem prestar atenção nas quantidades que estão ingerindo. Tente apreciar os alimentos como os franceses e ser tão cuidadoso quanto eles na criação e na apresentação dos pratos.

Os franceses comem três a quatro porções diárias a mais de hortaliças do que os americanos. Eles as temperam com azeite de oliva (ótimo para o coração), ervas frescas, nozes e condimentos. Em geral, grelham ou fritam ligeiramente esses alimentos frescos para que liberem açúcar e seus nutrientes naturais. Ao contrário de outros povos, os franceses comem porções pequenas de carne em relação à quantidade de hortaliças frescas que ingerem. Além disso, raramente consomem alimentos processados, carregados de gordura saturada, açúcar e sódio. E, embora adorem sobremesas ricas em gordura, costumam saboreá-las apenas em pequenas quantidades.

DICA 57: JANTE À MODA MEDITERRÂNEA

Há milhares de anos, as culturas mediterrâneas têm se mantido saudáveis com uma dieta nutritiva composta de grãos integrais, azeite de oliva, hortaliças, leguminosas, nozes, sementes, batata, frutas e peixe ao mesmo tempo que consomem pouca quantidade de carne bovina e de laticínios gordurosos. Pesquisas mostram que esse tipo de dieta é muito mais saudável do que uma alimentação rica em gordura e alimentos processados. Nas culturas mediterrâneas, o risco de desenvolvimento de doenças cardíacas e câncer é significativamente reduzido – cerca de 35% de mortalidade por doenças cardíacas e de 25% por câncer.

OS BENEFÍCIOS PARA A SAÚDE

Um estudo de 12 anos, publicado na edição de setembro de 2004 do *Journal of the American Medical Association*, revelou que as taxas de mortalidade eram 65% mais baixas em idosos que seguiam a dieta mediterrânea e que caminhavam 30 minutos todos os dias. Os pesquisadores descobriram também que a dieta mediterrânea contribui para uma diminuição significativa do peso corporal, da pressão arterial e dos níveis do mau colesterol (LDL), triglicerídios, glicose e insulina. Ao mesmo tempo, esse tipo de alimentação aumenta significativamente o nível do bom colesterol (HDL), que auxilia na prevenção de doenças cardíacas. Esse estudo de 12 anos examinou cerca de 2.500 homens e mulheres de 70 a 90 anos de idade, em 11 países europeus.

Outra pesquisa, também publicada na edição de setembro de 2004 do *Journal of the American Medical Association*, revelou que a dieta mediterrânea ajudou as pessoas a emagrecer por ter de fato mudado sua química corporal, reduzindo as perigosas anormalidades referentes à insulina e diminuindo a inflamação crônica das artérias e de outros tecidos orgânicos. Essa dieta baixou a incidência da síndrome metabólica, que causa o acúmulo de gordura em torno do abdômen e aumenta o risco de diabetes, doenças cardíacas, câncer e mal de Alzheimer.

COMO SE ALIMENTAR À MODA MEDITERRÂNEA

Muitos dos benefícios que a dieta mediterrânea proporciona à saúde se deve à sua ênfase nos grãos integrais. Os grãos são compostos por três camadas: o gérmen interno, o endosperma intermediário e o farelo externo. O processamento da farinha e do arroz brancos mantém as duas camadas internas, contudo remove a camada externa, o farelo, bem como suas fibras, vitaminas e minerais. Ingerindo grãos integrais, obtemos todos esses nutrientes e, ainda, carboidratos complexos, proteína, fibras, antioxidantes e outras substâncias fitoquímicas que ajudam a proteger contra o câncer e doenças cardíacas.

Além disso, os grãos integrais fornecem energia e calorias com pouca gordura c são digeridos mais devagar, o que prolonga a sensação de saciedade. A dieta mediterrânea é muito superior à dieta ocidental tradicional porque as fibras desempenham um papel significativo no emagrecimento e na promoção da saúde. A ingestão de fibras solúveis favorece o controle do peso, pois o estômago se esvazia mais lentamente. Elas criam também a sensação de saciedade e diminuem a fome, o que reduz o consumo de calorias.

A dieta mediterrânea também é rica em azeite de oliva, hortaliças, leguminosas, peixe, frango, frutas e massa, e o consumo de carne vermelha é muito baixo. Embora essa dieta contenha de 25 a 30% de calorias provenientes de gordura, trata-se da gordura monoinsaturada, saudável para o coração. Os povos mediterrâneos adicionam azeite de oliva e azeitonas a quase tudo o que comem, inclusive a massas, pães, hortaliças, saladas, peixes e até mesmo a bolos e doces. As gorduras monoinsaturadas ajudam a aumentar o bom colesterol (HDL) e diminuir o mau colesterol (LDL). O resultado disso é que há menos colesterol bloqueando as artérias e uma incidência significativamente menor de infarto e derrame. O azeite de oliva apresenta alguns antioxidantes chamados polifenóis, que têm propriedades protetoras contra o câncer.

E, se tudo isso não for suficiente para manter os povos mediterrâneos saudáveis, eles têm uma arma secreta: a caminhada. Para complementar a dieta, eles costumam andar. Vão a pé para o trabalho e a residências de amigos. Fazem caminhadas de lazer por cidades e zonas rurais. Sobem e descem ladeiras e preservam a boa forma sem nem pensar na atividade aeróbica que estão praticando.

DICA 58: COMA MENOS E COM MAIS FREQUÊNCIA

Você já viu aquelas pessoas magras e fortes que parecem comer o dia inteiro mas que não engordam? Isso acontece porque elas fazem refeições pequenas, frequentes e pouco calóricas. Seu metabolismo queima pequenas quantidades de calorias rapidamente em vez de ter que lidar com um grande número delas de uma só vez.

Depois que comemos, o pâncreas (glândula situada na parte posterior do estômago) produz um hormônio chamado insulina, que é segregado na corrente sanguínea. Uma refeição rica em gordura ou em açúcar faz com que o pâncreas secrete uma quantidade muito maior de insulina do que um prato com alta concentração de carboidratos complexos. Da mesma maneira, comer muito de uma só vez promove uma liberação mais intensa de insulina do que ingerir uma pequena porção de comida. Uma das funções desse hormônio é regular os níveis de açúcar no sangue (glicose) queimando carboidratos e mantendo as reservas de gordura nas células adiposas, onde poderão ser usadas posteriormente como combustível para obtenção de energia. Altas taxas de insulina fazem com que essas células absorvam a gordura alimentar. Além disso, enquanto esses níveis permanecem elevados menos gordura é liberada dessas células.

Por outro lado, refeições mais frequentes e menores evitam que o pâncreas produza insulina em excesso. Com isso, mais gordura alimentar é queimada como combustível, o que promove um acúmulo menor de gordura nas células adiposas. Além disso, taxas mais baixas de insulina estimulam a quebra da gordura já contida nessas células para que ela seja liberada no sangue e utilizada como combustível adicional para a obtenção de energia. Quando queimamos mais gordura, estamos, na verdade, usando as calorias em vez de estocá-las.

Um benefício extra das refeições pequenas, frequentes e ricas em carboidratos complexos é promover uma diminuição do apetite. Há dois motivos para isso. Em primeiro lugar, como as taxas de glicose não caem muito, não sentimos picos de fome. Em segundo lugar, a digestão dos carboidratos complexos ocorre em um tempo maior, o que também ameniza a vontade de comer. Isso acontece porque o mecanismo cerebral que controla o apetite nos diz que estamos satisfeitos. Os carboidratos complexos permanecem no estômago e nos intestinos por mais tempo porque são absorvidos a uma velocidade muito menor do que os açúcares e os carboidratos refinados.

DICA 59: NÃO ENTRE EM PÂNICO SE PARAR DE EMAGRECER

Lembre-se, ninguém emagrece de forma constante. Quando seguimos uma dieta, perdemos peso no início, mas, depois, o ritmo diminui. Isso acontece ainda que estejamos consumindo a mesma quantidade de calorias que ingeríamos no começo do programa. Esse período sem avanço é a parte mais perigosa de qualquer dieta, porque, quando ele se instala, bate o desânimo: "Não perdi 1g sequer na última semana." Em seguida, vem a frustração, e a pessoa diz: "Que se dane a dieta! Já que não emagreci, quero me dar um pouco de prazer. Vou comer alguma coisa que eu adore." A essa altura, 90% de todos os regimes estão fadados ao fracasso, pois o padrão de emagrecimento agora se inverte, transformando-se em um padrão de ganho de peso.

É importante lembrar que essa interrupção no processo de perda de peso é temporária. Se você conseguir se manter na dieta, ficará surpreso ao ver que voltará a emagrecer. Pode demorar uma ou duas semanas, no máximo, mas, se você for paciente, começará a se livrar novamente daqueles quilos indesejados. No entanto, os fisiologistas acreditam que talvez isso seja causado por um reajuste do metabolismo em resposta à perda de peso inicial. Seja qual for o motivo dessa pausa, você sempre será capaz de superá-la, é só não desanimar. O processo de emagrecimento retomará seu ritmo original.

DICA 60: NÃO SE PESE TODOS OS DIAS

Pesar-se todos os dias é um perigo para a dieta. Por um lado, quando pisamos na balança e vemos que estamos emagrecendo, ficamos felizes, animados e, inconscientemente, acabamos comendo para celebrar. Contudo, quando constatamos que não estamos perdendo peso tão rápido quanto gostaríamos, nos sentimos deprimidos e ansiosos e, em algum momento naquele dia, comeremos por causa da decepção. Portanto, a regra é: quanto mais você se pesar, mais vai encher o estômago.

Acredite, isso é verdade. Já vi pacientes meus passarem por esse frustrante processo de se pesar diariamente diversas vezes. Se você está fazendo dieta, use a balança apenas uma vez por semana, pois só assim conseguirá fazer uma avaliação real da eficiência do seu regime alimentar. A quarta-feira é o melhor dia para fazer isso. A segunda e a sexta-feira não são indicadas, pois vêm antes e depois do fim de semana, ocasiões em que você pode sair da linha e acabar se decepcionando. Você demorou muito para ganhar todo esse peso, e ele não vai sumir da noite para o dia. Tenha paciência.

DICA 61: NÃO PULE REFEIÇÕES

Talvez você pense que pular o café da manhã ou o almoço é uma boa maneira de cortar calorias – ledo engano. Quando desprezamos uma refeição, os níveis de açúcar no sangue (glicose) diminuem, o que nos deixa com vontade de comer alimentos ricos em carboidratos e calorias. É muito melhor fazermos três, quatro e até mesmo cinco pequenas refeições diárias em vez de uma ou duas maiores, pois distribuir a ingestão de pequenas quantidades de comida ao longo do dia mantém estáveis as taxas de glicose. Quando essas taxas permanecem constantes, temos menos chance de comer demais e engordar. O jejum, por outro lado, não favorece o emagrecimento, porque nessas ocasiões o organismo pensa que estamos morrendo de fome e tenta conservar as calorias, desacelerando bastante o metabolismo. Como passamos a queimar calorias a uma velocidade bem menor, é pouco provável que percamos peso. Além disso, depois que retomamos a alimentação normal, o metabolismo permanece lento até o corpo ter certeza de que não estamos passando fome. Durante esse período, a maior parte das calorias ingeridas é armazenada nas células de gordura, e talvez engordemos em vez de emagrecer.

COMECE O DIA COM O PÉ DIREITO

As pessoas que nunca tomam o café da manhã costumam compensar essa falha na alimentação em algum momento do dia. Na hora do almoço, por causa dos baixos níveis de açúcar no sangue, elas já estão roxas de fome e, certamente, comem demais. Ou talvez sintam vontade de forrar o estômago bem antes disso e acabem se empanturrando de bolo com café. Quem abre mão da primeira refeição do dia parece querer repor o que deixou de ingerir fazendo lanches no meio da manhã, no meio da tarde e às altas horas da noite.

Quando pulamos o café da manhã, o corpo pensa que estamos morrendo de fome e, por isso, desacelera o metabolismo, o que causa indolência e cansaço. Assim, para nos sentirmos bem, acabamos "beliscando uma coisinha". Comer acelera o metabolismo e eleva as taxas de glicose e, sobretudo, nos deixa mais dispostos. Entretanto, logo os níveis de açúcar no sangue voltam a cair. Novamente nos sentimos cansados e comemos mais uma vez. Isso se chama hipoglicemia funcional, ou baixos níveis de açúcar no sangue, e ocorre porque deixamos de fazer uma refeição.

QUEM TOMA CAFÉ DA MANHÃ EMAGRECE COM MAIS FACILIDADE

Estudos revelam que as pessoas que tomam um café da manhã saudável todos os dias são as que conseguem os melhores resultados com as dietas de emagrecimento. A combinação de cereais de grãos integrais ricos em fibras com frutas e leite desnatado proporciona uma das melhores refeições para se iniciar o dia. Uma excelente opção com proteína magra: frite um ovo em uma pequena quantidade de azeite de oliva e coma-o sobre uma torrada de pão integral. Outra deliciosa alternativa é saborear uma fatia de pão integral coberta com uma colher de sopa de geleia de frutas. Quem toma um café da manhã nutritivo não precisa recorrer a bolos e biscoitos recheados para aplacar a fome do meio da manhã. O mecanismo cerebral que regula o apetite fica sob controle por longos períodos, pois não há picos nos níveis de açúcar no sangue nem nas taxas de insulina. Além disso, um café da manhã saudável faz com que o organismo queime gordura com mais eficiência e comece o dia da melhor maneira possível.

DICA 62: NÃO DEIXE QUE SEUS ACOMPANHANTES À MESA O FAÇAM ENGORDAR

Pesquisas mostram que as pessoas comem mais quando fazem refeições acompanhadas. A animação de sair para almoçar ou jantar com amigos estimula a fome. Ocorre um descontrole no mecanismo cerebral que regula o apetite, pois nessas ocasiões estamos conversando e nos divertindo. Antes que sejamos capazes de perceber, já comemos muito mais do que deveríamos. Isso é especialmente verdadeiro quando nossos acompanhantes são pessoas que costumam exagerar à mesa.

Programe-se com antecedência quando estiver pensando em sair para comer com amigos. Peça uma refeição pobre em calorias e em gordura, independentemente do que as pessoas escolherem. Se você é mulher e está à mesa com um homem, saiba que, de maneira geral, os homens comem muito mais do que as mulheres, sem engordar. (Quem disse que a vida é justa?) Os homens queimam mais calorias e mais rápido por causa da testosterona, responsável pela construção da massa muscular, o que acelera o metabolismo masculino.

Veja a seguir algumas dicas que vão ajudar você a comer menos quando estiver acompanhado de amigos ou familiares:

- Mastigue bem a comida.
- Coloque o garfo no prato com frequência.
- Pare de comer enquanto estiver falando e volte a comer lentamente quando a conversa parar.
- Não se sinta mal se deixar comida no prato.
- Se estiver comendo em casa, ao se sentir satisfeito, leve o prato para a cozinha e volte para a mesa. Sem prato não dá para repetir.
- Nunca escolha uma refeição apenas para comer a mesma coisa que seus amigos. Alimentos gordurosos, ricos em calorias, parecem tentadores no prato de outras pessoas; porém, não deixe que isso o contagie. Um meio de evitar a tentação é pedir a refeição antes.
- Não tente acompanhar o ritmo de alguém que come depressa. Provavelmente, essa pessoa não tem ideia do que está ingerindo nem da quantidade que está consumindo. Quem se alimenta muito rápido costuma falar e comer sem parar.
- Tome cuidado com as bebidas alcoólicas quando jantar com amigos. Nunca peça mais do que um drinque. Se você não costuma beber, sinta-se à vontade para recusar a bebida. Peça apenas água mineral ou água tônica com gotas de limão.
- Não se sinta pressionado a "limpar o prato". As porções servidas nos restaurantes são duas a três vezes maiores do que as que comemos em casa. Antes mesmo de começar a se servir, peça ao

garçom que coloque metade da sua refeição em uma embalagem para viagem.

DICA 63: NÃO SE PRIVE DOS SEUS ALIMENTOS FAVORITOS

Não é o que você come que engorda, e sim a quantidade desses alimentos ou das calorias que consome. Portanto, não é necessário eliminar seus alimentos favoritos da dieta. Se você limitar a ingestão dos chamados alimentos proibidos, poderá satisfazer sua vontade de comer sem sair da linha e não ficará tentado a se empanturrar de itens muito calóricos.

SE VOCÊ TEM UM FRACO POR MASSAS, BATATA E PÃO

Os maus carboidratos são realmente tentadores. Sempre que possível, encontre um meio saudável de satisfazer seu desejo de saboreá-los. Por exemplo, consuma variedades integrais dos seus carboidratos favoritos. Se estiver com vontade de comer batata, ingira-a com a casca ou opte pela batata-doce, que contém bons carboidratos.

Não se esqueça de comer proteína junto com qualquer mau carboidrato, pois ela diminui a vontade de ingerir mais carboidratos prejudiciais. Além disso, proporciona uma sensação maior de saciedade. Portanto, você consumirá menos calorias com uma refeição composta de proteína e carboidrato do que ingerindo apenas o carboidrato refinado. A proteína demora mais tempo para ser digerida e satisfaz mais rapidamente, com a vantagem de ser menos calórica e mais nutritiva.

Pesquisas mostram que incluir proteína na refeição faz com que a temperatura corporal suba e, consequentemente, eleva a taxa metabólica basal (TMB). Isso aumenta o número de calorias queimadas em qualquer período de 24 horas. A digestão de refeições enriquecidas com proteína leva um tempo muito mais longo do que a de refeições ricas em carboidratos. Além de proporcionar a sensação de saciedade com mais rapidez, esse processo favorece a queima prolongada de calorias, sobretudo da gordura armazenada, o que promove uma perda maior de peso.

Os melhores alimentos com proteína que podemos incluir em refeições que contêm maus carboidratos são: carne bovina magra, frango e peixe; nozes; leguminosas; leite desnatado ou semidesnatado, iogurte e queijos light; ovos cozidos; produtos de soja; e sementes de girassol ou de gergelim. As piores proteínas são: carnes gordurosas, hambúrguer, cheesebúrguer, laticínios ricos em gordura e carnes processadas. Bacon, linguiça e lombinho canadense são ruins. Contudo, uma fatia de presunto extramagro contém apenas 1g de gordura e 38 calorias.

SE VOCÊ TEM UM FRACO POR DOCES, BISCOITOS, BOLOS, SORVETES, BOMBONS...

Tente enganar o desejo de comer doce antes mesmo que ele se instale. Para isso, mantenha alimentos sempre à mão quando sair de casa. Se você comer uma maçã, laranja, banana ou pera assim que a vontade surgir, consumirá menos calorias e se beneficiará das fibras contidas nesses alimentos saudáveis.

Se o seu apetite ficar fora de controle e você não resistir a um doce proibido, coma-o. Dê uma ou duas mordidas e mastigue lentamente. Jogue fora o resto ou passe-o para alguém. Assim, a vontade de comer doce será satisfeita e você não consumirá gordura e calorias extras.

Os melhores doces que você pode comer são frutas e versões light de produtos como gelatina, pudim, barrinhas de cereais integrais, sorvete, iogurte e caldas, além de vitaminas preparadas com leite ou iogurte desnatado e suas frutas favoritas. Os refrigerantes diet também satisfazem o desejo por doce. As piores opções são os sucos de frutas e as versões comuns de refrigerantes, doces, bolos, balas, biscoitos e itens de confeitaria.

SE VOCÊ TEM UM FRACO POR ALIMENTOS GORDUROSOS

Sejamos sinceros – a gordura dá sabor à comida. Quando você sentir vontade de comer alimentos ricos em gordura, concentre-se em consumir as boas gorduras, que são tão saborosas quanto as prejudiciais à saúde:

- No preparo de um sanduíche ou de uma salada, use uma lata pequena de atum conservado em água e maionese light (3g de gordura e 225 calorias) em vez de atum conservado em óleo e maionese comum (20g de gordura e 400 calorias).

- Dispense o bacon e a linguiça como acompanhamento de ovos. Prefira presunto sem capa de gordura (1 fatia), que tem somente 1g de gordura e 40 calorias.
- Substitua o requeijão comum da torrada integral por requeijão light. Isso eliminará uma grande quantidade de gordura e calorias.
- Opte pelo queijo cottage light - ele é tão saboroso quando a sua versão integral e tem muito menos calorias e gordura.
- Troque molhos gordurosos para salada por opções light ou por azeite de oliva; ou tempere a salada com suco de limão ou vinagres aromatizados, que não têm calorias.
- No lugar de um ovo inteiro, coma duas claras. Assim você estará se livrando de 80 calorias e 10g de gordura.
- Esqueça o sorvete integral e tome sorvete ou iogurte light. Embora mínimo, o teor de gordura desses produtos os torna tão saborosos quanto sua versão integral.
- Use carne de peru ou peito de frango no preparo de um sanduíche de proteína magra. Opte por pão integral e maionese light.

Lembre-se sempre de usar as gorduras mais saudáveis. Elas são encontradas em nozes, leguminosas, abacate, óleo de canola e azeite de oliva. As piores gorduras estão presentes em alimentos empanados ou fritos; sopas de saquinho; maionese comum; molhos cremosos e molhos para salada gordurosos; alimentos industrializados, como bolachas, biscoitos doces e batata chips de saquinho com gordura trans; carnes gordas; manteiga, margarina e grande parte dos óleos de cozinha.

DICA 64: NÃO ACREDITE NA LENDA DA CELULITE

Há um verdadeiro exército de recursos - entre cremes, dietas e exercícios especiais - para derrotar aquela que é considerada a mais terrível de todas as gorduras: a celulite. No entanto, seja lá o que for que estejam tentando lhe vender, não compre, porque, na verdade, a celulite é uma lenda. Ela não é diferente de nenhuma outra célula de gordura e não é necessário nenhum tipo de tratamento especial para eliminá-la. Às vezes, quando as células de gordura logo abaixo da pele aumentam de volume, os filamentos do tecido fibroso que as conectam não se esticam. Isso dá à gordura comum um aspecto granuloso (ou de "casca de laranja") que recebeu dos marqueteiros das dietas o nome místico de celulite. Ela pode aparecer em áreas diversas do corpo, como quadris, coxas e nádegas.

Em um estudo realizado na Johns Hopkins University, em Baltimore, foram feitas biópsias de tecidos gordurosos granulosos (a mítica celulite) e de depósitos de gordura comum. Resultado: todas as espécies analisadas foram identificadas no microscópio como células de gordura comuns. Nenhum desses tecidos foi classificado como celulite.

Portanto, não se deixe enganar por essa invenção e não gaste dinheiro com tratamentos especiais para se livrar dela. Além disso, não ceda ao desânimo se perceber que a gordura de algumas partes do seu corpo está com um aspecto mais granuloso. A verdade é que a celulite é uma gordura comum que pode ser combatida com os meios usuais. Uma alimentação com pouca gordura, associada a um programa aeróbico de caminhadas regulares, a fará desaparecer de todos os lugares do seu corpo.

DICA 65: NÃO SE DEIXE LEVAR POR MITOS DEFENDIDOS POR ALGUMAS DIETAS

Para emagrecer é importante não se deixar enganar por conceitos equivocados defendidos por algumas dietas. Veja a seguir quais são eles.

MITO: AS CALORIAS NÃO CONTAM

Esse é o primeiro dos muitos conceitos equivocados que as pessoas usam na tentativa de nos convencer a experimentar uma dieta. Mas a verdade é exatamente o oposto: as calorias são importantes em qualquer método de emagrecimento. Para perder cerca de 500g de gordura, precisamos deixar de ingerir 3.500 calorias. Contudo, em uma dieta com pouca gordura, com consumo moderado de proteína magra e de carboidratos complexos, não há necessidade de contar calorias, pois se trata de um programa alimentar pouco calórico por natureza.

MITO: ADOTAR UMA DIETA RADICAL É O MELHOR MEIO DE COMEÇAR A EMAGRECER

Na verdade, seguir uma dieta radical é a pior maneira de perder peso, pois a maior parte desses regimes, que costumam restringir muito o consumo de carboidratos, produz uma rápida perda de líquidos. Isso não tem nada a ver com a quantidade de líquido que é ingerida e reflete apenas uma mudança na capacidade que o organismo tem de reter líquidos. Não se elimina gordura com esse tipo de programa. E o pior: há o risco de perda de proteína, o que prejudica os rins. Quando a dieta é abandonada, o peso é rapidamente recuperado na forma de gordura, e às vezes a pessoa se torna ainda mais gorda do que era antes de adotar o regime.

MITO: OS EXERCÍCIOS NÃO SÃO ESSENCIAIS PARA A PERDA DE PESO

Nada pode estar mais longe da verdade. A prática regular de uma atividade física é fundamental em qualquer programa de emagrecimento e de manutenção do peso a longo prazo. Além de queimar calorias, os exercícios regulam o apetite e aceleram o metabolismo, diminuindo a pressão arterial, os níveis de colesterol e de açúcar no sangue e beneficiando a saúde de modo geral.

MITO: TUDO O QUE COMEMOS À NOITE SE TRANSFORMA EM GORDURA

A hora em que comemos não faz a menor diferença. É o número total de calorias ingeridas por dia versus o número total de calorias queimadas por dia que determina a perda ou o aumento de peso. O organismo não diferencia as calorias que consumimos de dia daquelas que ingerimos à noite. Para o corpo conta apenas quantas calorias ingerimos em 24 horas. A única desvantagem de comer tarde da noite é que, se a pessoa sofrer de um problema chamado refluxo gastroesofágico, poderá sentir azia. Nesse caso, é essencial procurar o médico.

MITO: DETERMINADOS ALIMENTOS PODEM QUEIMAR CALORIAS

Como expliquei nas Dicas 6 e 10, a digestão de alguns alimentos consome mais energia do que a de outros. Contudo, não existe um alimento cuja digestão gaste energia suficiente para promover a perda de peso sem que sejam feitas mudanças nos hábitos alimentares e na prática de exercícios.

MITO: COMER RÁPIDO NÃO FAZ DIFERENÇA

Fazer uma refeição lentamente e mastigar bem os alimentos dá ao mecanismo cerebral que regula o apetite a chance de registrar o que ingerimos e diminuir a fome. Dessa maneira, nos sentimos saciados com menos comida. Comer rápido não engorda; porém, como as pessoas que se alimentam depressa não permitem que o mecanismo inibidor da fome tenha tempo de entrar em ação, elas costumam comer mais.

MITO: A CARNE É RICA EM PROTEÍNA, POR ISSO NÃO ENGORDA

A proteína, independentemente de sua origem, contém quatro calorias por grama. Os carboidratos também apresentam quatro calorias por grama. A gordura, porém, possui nove calorias por grama. A carne, além das quatro calorias por grama de seu teor de proteína, fornece nove calorias por conta de seu conteúdo de gordura. Portanto, quanto mais alto o percentual de gordura desse alimento, maior o seu valor calórico.

Uma vez que o excesso de calorias – isto é, aquela quantidade que ultrapassa as necessidades metabólicas do organismo – é armazenado na forma de gordura, comer carne pode engordar e também fazer com que uma proporção bem maior de gordura seja depositada no organismo.

MITO: DESDE QUE TOMEMOS VITAMINAS, O QUE COMEMOS NÃO IMPORTA

Os suplementos vitamínicos não suprem as necessidades diárias de proteína, carboidratos, minerais, aminoácidos e ácidos graxos essenciais necessários ao organismo. Embora bastante difundido, esse é um conceito equivocado sobre nutrição e alimentação. Observaram-se muitas complicações em pessoas que seguem dietas pobres em calorias associadas à ingestão de suplementos de proteína e vitaminas. Isso ocorre porque o metabolismo, particularmente no que se refere aos rins e ao fígado, é incapaz de se ajustar a esse tipo de regime alimentar.

MITO: VAMOS EMAGRECER SE PULARMOS O CAFÉ DA MANHÃ E O ALMOÇO E COMERMOS BASTANTE NA HORA DO JANTAR

Não importa quando as calorias são consumidas em um período de 24 horas - o resultado é o mesmo. A fórmula básica é: calorias consumidas versus calorias queimadas. Tanto faz se comemos 400 calorias três vezes ao dia ou se ingerimos 1.200 em uma única refeição - no que diz respeito ao ganho de peso, o organismo não faz distinção nesse sentido. E mais: pular refeições não é uma forma saudável de seguir uma dieta, pois o apetite é estimulado muito tarde e, além de comermos demais no jantar, acabamos beliscando durante toda a noite.

DICA 66: NÃO SE TORNE VÍTIMA DO EFEITO SANFONA

O efeito sanfona dificulta o emagrecimento definitivo e coloca a saúde em risco. O Framingham Heart Study, que acompanhou mais de 5 mil pessoas durante quase 40 anos, mostrou que os indivíduos que fazem dieta continuamente podem desenvolver problemas de saúde. De acordo com essa pesquisa, entre os participantes que perderam 10% do peso corporal houve uma redução de quase 20% na incidência de doenças cardíacas. Mas, quando eles recuperaram 10% do peso, aumentaram em quase 30% o risco de apresentar doenças cardíacas.

Especialistas nos campos da fisiologia, bioquímica, psicologia, nutrição e medicina divulgaram algumas descobertas assustadoras sobre o efeito sanfona:

- O ciclo de perda de peso/aumento de peso intensifica a vontade de comer alimentos gordurosos. Estudos realizados com animais na Yale University revelaram que os camundongos que emagreciam rapidamente seguindo dietas de restrição calórica sempre optavam por mais gordura quando podiam escolher entre gordura, proteína e carboidratos. No fim, esses animais se tornavam mais gordos do que eram no início da dieta e em um período bem mais curto do que levavam para emagrecer.

- As vítimas do efeito sanfona aumentam a proporção de gordura corporal em relação à massa magra. As mulheres que emagrecem depressa seguindo uma dieta de restrição calórica e rica em proteína podem perder uma quantidade significativa de tecido muscular. Quando voltam a engordar, costumam recuperar mais gordura e menos músculos porque é mais fácil para o corpo acumular gordura do que reconstruir o tecido muscular.
- Após o efeito sanfona, a gordura corporal é redistribuída: sai das coxas, das nádegas e dos quadris e vai para o abdômen. Pesquisas mostram que os depósitos de gordura acima da cintura aumentam o risco de desenvolvimento de doenças cardíacas e diabetes, além de afetarem a silhueta.
- Quando emagrecemos cortando calorias, nossa taxa metabólica basal (TMB) diminui, pois esse é o mecanismo de defesa do organismo contra a fome. Como o corpo não sabe a diferença entre fome e dieta de restrição calórica, ele reduz a queima de calorias na tentativa de conservar energia. É por esse motivo que a perda de peso se torna mais lenta após uma ou duas semanas, embora a quantidade de calorias ingeridas continue sendo igual à do início do regime. Essa desaceleração da TMB persiste mesmo depois de terminada a dieta e é responsável pela posterior recuperação excessiva de peso. A queda na TMB pode ocorrer até mesmo após uma única tentativa de fazer dieta. Contudo, às vezes, os repetidos malefícios do efeito sanfona afetam muito mais a TMB, tornando o emagrecimento quase impossível e a recuperação do peso quase inevitável. Quem se encontra nessa situação costuma dizer: "Estou mais gordo do que estava quando comecei essa bendita dieta."
- Uma enzima chamada *lipoproteína lipase* (LPL) fica mais ativa quando reduzimos o consumo de calorias. A LPL controla a

quantidade de gordura que é estocada nas células adiposas. Fazer dieta, portanto, torna o organismo mais eficiente no acúmulo de gordura – resultado exatamente oposto ao que almejamos com um regime. À medida que restringimos o consumo de calorias, a LPL começa a ativar o processo de armazenamento de gordura. Esse é outro mecanismo de defesa que o organismo usa para evitar a fome. Lembre-se de que a LPL não sabe que estamos fazendo dieta; para ela, estamos passando fome.

- De acordo com um estudo médico, as mulheres que passaram por ciclos repetidos do efeito sanfona apresentaram um risco maior de morte súbita causada por infarto. A pesquisa monitorou 1.500 mulheres que fizeram dietas seguidamente ao longo de 20 anos.

O EFEITO SANFONA E O SISTEMA IMUNOLÓGICO

Além de aumentar a circunferência da cintura, o efeito sanfona pode prejudicar o sistema imunológico. Um estudo publicado na edição de junho de 2004 do *Journal of the American Dietetic Association* mostrou que as mulheres com histórico de perda e ganho frequentes de peso tinham o sistema imunológico mais fraco do que aquelas que não sofriam desse problema. As participantes que relataram ter emagrecido e engordado mais de cinco vezes em determinado período apresentaram 1/3 a menos de células matadoras naturais, que são imprescindíveis para o sistema imunológico destruir vírus e bactérias.

Assim, em vez de experimentar cada dieta da moda que surge e iniciar um perigoso ciclo de efeito sanfona, escolha um programa mais sensato que associe hábitos alimentares saudáveis à prática regular de atividade física.

DICA 67: NÃO CEDA À TENTAÇÃO DE COMER ALIMENTOS QUE SABOTAM QUALQUER DIETA

Veja a seguir uma lista dos principais vilões da dieta. Da próxima vez que você se sentir tentado a comer um deles, escolha uma alternativa mais saudável, com menos gordura:

Carne vermelha

A carne vermelha, rica em colesterol e gorduras saturadas, é inimiga das artérias. Seu teor de gordura obstrui as artérias coronárias, que levam sangue ao coração, causando doenças cardíacas. Além disso, congestiona as artérias do cérebro, provocando derrame ou isquemia cerebral transitória. Seu alto teor de gordura está associado ainda ao desenvolvimento de cânceres de cólon, mama e próstata.

Com o acréscimo de hormônios e o risco de apresentar agentes infecciosos (como o da doença da vaca louca), a carne vermelha é um dos piores alimentos que você pode consumir. É possível obter o mesmo valor proteico da carne sem a adição de gordura e dos compostos prejudiciais - basta substituí-la por peixe, peito de frango ou de peru, leguminosas, nozes e alimentos derivados da soja.

BATATA DE SAQUINHO E BATATA FRITA

A batata de saquinho é rica em gordura saturada, gorduras trans e sal. Ela inunda o organismo com níveis perigosos de ácidos graxos ômega-6, capazes de obstruir as artérias e causar inflamação de tecidos e órgãos. E, no caso da popular batata frita, a gordura saturada, a gordura trans e as toneladas de calorias podem não ser os únicos elementos prejudiciais à saúde. Descobriu-se um novo perigo oculto nesse alimento. Um estudo revelou que fritar ou assar carboidratos amiláceos, como a batata, em alta temperatura produz um elemento químico chamado acrilamida, que causa câncer e problemas reprodutivos, como indicaram pesquisas realizadas com animais de laboratório. Muitos pesquisadores acreditam que a acrilamida pode, de fato, ser uma ameaça real de câncer para os seres humanos.

FAST-FOOD

Essa é uma categoria inegavelmente prejudicial de alimentos. Uma refeição composta por um cheesebúrguer duplo, uma porção grande de batata frita e um refrigerante grande tem quantidade suficiente de calorias, gordura, açúcar e sal para causar um aumento extraordinário da pressão arterial e dos níveis de colesterol e de açúcar no sangue (glicose). Para conhecer alternativas saudáveis de refeições rápidas, leia a Dica 81.

Evite comer fast-food rápido demais

Se você é daquelas pessoas que devoram fast-food com a maior rapidez, saiba que esse hábito causa um dano ainda maior ao organismo do que ingerir esses alimentos devagar. Quando comemos muito depressa, tendemos a consumir calorias em excesso. Isso ocorre porque são necessários de 15 a 20 minutos para que o mecanismo cerebral que regula o apetite receba os sinais de que o estômago está cheio. Portanto, vá com calma para que o cérebro tenha tempo de saber que você já comeu.

Se não fizer isso, você continuará a se sentir tão faminto quanto estava antes de engolir um cheesebúrguer duplo com bacon e, talvez, até peça um milk-shake com uma porção grande de batatas fritas. Quando esses alimentos chegarem ao seu estômago, o cérebro ainda estará recebendo os primeiros sinais de que você está satisfeito com o sanduíche que comeu nos primeiros cinco minutos. Mas então será tarde demais. O cérebro nunca saberá que você ingeriu 620 calorias e 38g de gordura (cheesebúrguer duplo com bacon), 590 calorias e 30g de gordura (batata frita grande) e 400 calorias e 9g de gordura (milk-shake). Os únicos que saberão disso serão sua cintura, seu quadril e suas coxas.

SOBREMESAS

A maioria das sobremesas, como bolos, tortas, doces e sorvetes, é muito rica em açúcar refinado. Isso provoca uma súbita elevação nas taxas de glicose, o que intensifica rapidamente a produção de insulina pelo pâncreas (glândula situada na parte posterior do estômago), que, por sua vez, armazena a gordura em excesso nas células adiposas. O que acontece em seguida é uma queda imediata nas taxas de glicose e o aumento da fome, que nos faz exagerar no consumo de itens com açúcar refinado.

Evite produtos de confeitaria, como bolinhos, rocamboles e bolos. A maior parte deles contém mais de 50% de calorias provenientes da gordura, além de um alto teor de açúcar refinado. Lanches como pipoca sem sal nem gordura, bem como frutas dos mais variados tipos, tamanhos e cores, satisfarão sua vontade de comer doce, sem acrescentar açúcar e gordura em excesso à sua dieta. Para opções de sobremesas mais saudáveis, veja as Dicas 31, 46 e 82.

Tome cuidado com bolos, tortas e biscoitos que trazem as palavras diet e light na embalagem. Em geral, esses produtos contêm um alto teor de açúcar, muitas calorias e, em alguns casos, até mesmo gordura trans. Além disso, costumam ser feitos com cereais refinados e, portanto, não possuem fibras, nutrientes nem qualquer outro componente benéfico, apenas calorias vazias. Por esse motivo, devem ser proibidos em uma dieta saudável.

CONSERVAS E ALIMENTOS DEFUMADOS E CURADOS

Carnes e peixes defumados e curados contêm compostos químicos perigosos, como fenóis e nitratos. Quando cozidas e digeridas, essas substâncias formam nitrosaminas, agentes causadores de câncer. Esses alimentos são igualmente ricos em gorduras saturadas, que podem elevar o risco de doenças cardíacas. As conservas também contêm nitratos, que são convertidos em nitrosaminas formadoras de câncer no trato digestivo.

Frutas e hortaliças ricas em vitaminas C e A, betacaroteno e antioxidantes podem ser capazes de inibir a formação das nitrosaminas. Assim, se uma vez ou outra você tiver que comer carnes ou peixes defumados ou curados, bem como alimentos em conserva, não se esqueça de incluir quantidades generosas de hortaliças e frutas em sua refeição para combater os efeitos nocivos desses elementos químicos prejudiciais à saúde.

SAL

A National Academy of Sciences recomenda limitar o consumo de sal, ou sódio, a 2.000mg por dia. É essencial incluir uma pequena quantidade de sal na alimentação para manter o equilíbrio hídrico do organismo. No entanto, o excesso de sódio pode causar uma elevação permanente da pressão arterial por interferir na capacidade que os rins têm de eliminá-lo. O acúmulo de sal no organismo provoca retenção de líquidos e um subsequente aumento no volume de sangue. Isso faz com que o coração trabalhe mais, elevando a pressão arterial. Em pessoas suscetíveis ao problema, esse quadro pode provocar hipertensão contínua e morte prematura por infarto ou derrame.

ÁLCOOL

O excesso de álcool pode desencadear doenças hepáticas, danos ao cérebro, problemas nos nervos, derrame, doenças cardíacas, hipertensão, distúrbios nos órgãos reprodutivos, aumento do baço, hemorragia no esôfago e cânceres de fígado e pâncreas. Embora esteja provado que a ingestão de uma taça de vinho por dia faz bem ao coração, o excesso de álcool pode causar muitas doenças e morte prematura. E não se esqueça de que essa substância contém sete calorias por grama. Assim, se consumido em grandes quantidades, o álcool também nos faz engordar.

CAFEÍNA

O consumo excessivo de cafeína causa fadiga acentuada após o efeito estimulante inicial, além de afetar de modo negativo os sistemas cardiovascular e nervoso. Pode acelerar os batimentos cardíacos e provocar palpitações, elevação da pressão arterial e irritação de todas as terminações nervosas do organismo. Esses fatores costumam desencadear dores de cabeça, nervosismo, transpiração, tremores, confusão mental, ansiedade e até mesmo comportamento paranoico. Depois disso, instala-se uma letargia que mina a energia vital. Tomar uma ou duas xícaras de café ou de chá preto por dia provavelmente não causará nenhum desses sintomas desagradáveis desde que a pessoa não tenha uma reação exagerada à cafeína. Lembre-se também de que ingerir muita cafeína estimula o apetite.

DICA 68: NÃO SIGA DIETAS DA MODA QUE PROMETEM RESULTADOS RÁPIDOS

As livrarias estão cheias de livros sobre dietas da moda que prometem um emagrecimento incrível em um tempo mínimo. Todas parecem muito boas para serem reais. E provavelmente não são mesmo. Vejamos aquelas que são pobres em carboidratos e ricas em gordura e em proteína. Elas garantem que é possível perder peso com uma ingestão calórica que inclua até 60% de gordura. Além disso, não proíbem nenhum tipo de gordura, que pode ser saturada, insaturada ou proveniente de alimentos com alto teor de colesterol. Por outro lado, limitam o consumo de frutas, hortaliças, cereais, feijões e grãos integrais nutritivos, que são essenciais à saúde.

Embora esses regimes de restrição de carboidratos possam promover o emagrecimento rápido, a recuperação do peso ocorre bem depressa também. Isso é causado pela decomposição nada saudável de gordura e proteína para obtenção de combustível e reposição das reservas de carboidratos. Assim que o organismo percebe que há depleção de carboidratos e apresenta sintomas de fadiga, mal-estar e cãibras, o mecanismo cerebral que controla o apetite recebe sinais de estresse de todas as células que estão carentes de carboidratos. Desse modo, o cérebro não tem outra opção a não ser estimular uma enorme vontade de comer esses alimentos para atender a necessidade de todas as células do corpo.

O que ocorre em seguida é a recuperação do peso até que a carência de carboidratos refinados seja suprida e a pessoa volte à sua antiga e nada saudável dieta rica em gordura e pobre em carboidratos. Noventa por cento dos adeptos desses regimes maçantes, perigosos, pobres em carboidrato e ricos em gordura e proteína acabam engordando de novo. Na maior parte dos casos, eles readquirem quase todo o peso original, e alguns até mais do que isso.

Para que o emagrecimento ocorra de forma saudável, a dieta não pode restringir nenhum tipo de alimento. Um bom programa alimentar deve consistir em cerca de 60% de carboidratos complexos, 25% de proteína e 15% de gordura. Lembre-se de que cada grama de proteína e de carboidrato contém quatro calorias, enquanto cada grama de gordura tem nove calorias. Faça os cálculos. A dieta da moda talvez pareça uma ótima ideia ao prometer resultados maravilhosos a uma velocidade incrível, mas isso apenas prejudica a nutrição e os esforços para manter a saúde ao longo dos anos.

DICA 69: NÃO EMBARQUE NA ONDA DA DIETA POBRE EM CARBOIDRATOS

A moda dos regimes alimentares pobres em carboidratos – e essencialmente ricos em gordura e proteína – foi registrada em quase todos os livros de dieta lançados nos últimos 10 anos. Esses programas estabelecem que podemos comer bacon e ovos no café da manhã, cachorro-quente no almoço e um suculento bife no jantar. Parece tentador, não é? Por outro lado, restringem o consumo de todo tipo de carboidrato ou nos permitem ingeri-los apenas em quantidades mínimas em cada refeição. Por exemplo, nada de hortaliças, frutas, cereais, pães, batatas, massa e grãos. Isso lhe parece sem graça e nada saudável? E é.

De fato, no início, esse tipo de dieta nos faz emagrecer. Mas isso se deve basicamente à perda de água em decorrência de um processo metabólico chamado cetose, distúrbio que só costuma ser apresentado por portadores de diabetes e de disfunções renais, não por indivíduos saudáveis. Assim que o organismo elimina a água, ele começa a queimar gordura, o que é algo positivo. O aspecto prejudicial é que o processo anormal de cetose começa também a queimar proteína, ou os músculos do corpo. Na tentativa de usar a proteína como fonte de combustível para obter energia, o organismo está, na verdade, decompondo um dos seus elementos mais importantes – aquele que é necessário para construir e reparar tecidos, células e órgãos e para manter a vida. Esse é um dos motivos da fadiga e da fraqueza geral apontadas como efeitos colaterais iniciais dessa dieta nociva.

Um programa alimentar desse tipo priva o organismo também de sódio e potássio, minerais vitais, essenciais à saúde. Ao mesmo tempo, o colesterol sanguíneo aumenta perigosamente, os níveis do hormônio da tireoide caem e o metabolismo se torna mais lento para conservar energia, o que desacelera o processo de emagrecimento. Podem ocorrer danos aos rins e ao fígado se grande parte da proteína for decomposta nesse tipo de dieta. Sem glicose para alimentar o cérebro e o sistema nervoso, que usam cerca de 2/3 da glicose presente no organismo, o funcionamento cerebral fica comprometido.

Como você pode constatar, essa é uma dieta perigosa. Não é saudável segui-la. Além disso, assim que é interrompida, ocorre uma rápida recuperação do peso para compensar a depleção das reservas orgânicas de carboidratos, água e nutrientes. O mecanismo cerebral que regula o apetite faz com que a fome aumente e, assim, a pessoa começa a ingerir grandes quantidades de carboidratos para aliviar os efeitos nocivos da dieta.

DICA 70: NÃO CONTE CARBOIDRATOS, E SIM GRAMAS DE GORDURA

Um estudo apresentado na North American Association for the Study of Obesity, em 2004, mostrou que as dietas com baixa concentração de gordura proporcionam resultados melhores do que aquelas pobres em carboidratos. Essa pesquisa usou dados do National Weight Control Registry, que avaliou mais de 2.500 pessoas de 40 a 50 anos de idade, de 1995 a 2005. O objetivo era saber que método de emagrecimento fora adotado por quem tinha emagrecido 15kg ou mais e mantido o novo peso. Os médicos compararam as dietas para ver se alguma delas havia feito diferença na quantidade de peso perdido e na sua recuperação um ano depois.

O tipo de dieta (pobre em gordura ou em carboidratos) não fez diferença na quantidade de peso perdido no início. Na verdade, muitas pessoas emagreceram em média 7,5 a 8kg nessa fase. Contudo, aquelas que seguiram a dieta pobre em carboidratos e que elevaram o consumo de gordura no decorrer do ano seguinte recuperaram quase todo o peso. Elas continuaram a ingerir a mesma quantidade de proteína e compensaram a redução de carboidratos comendo mais gordura. O aumento na ingestão de gordura as fez ganhar novamente quase todo o peso de que haviam se livrado no começo do programa. Quem consumiu pouca gordura, porém, readquiriu apenas 35% do peso perdido.

Outros estudos também mostraram que as pessoas que adotaram uma alimentação pobre em carboidratos acabaram recuperando todo ou quase todo o peso que haviam perdido no início. De acordo com uma pesquisa, mais da metade dos americanos que experimentaram as dietas pobres em carboidratos acabaram desistindo delas. Em setembro de 2004, o American Institute for Cancer Research usou essas tendências para divulgar uma declaração pedindo aos adeptos de dietas que "recuperassem o bom senso" adotando uma alimentação equilibrada (mais rica em frutas, hortaliças e grãos integrais), diminuindo o tamanho das porções e praticando mais atividades físicas.

DICA 71: NÃO CAIA NO CONTO DA QUANTIDADE "LÍQUIDA" DE CARBOIDRATOS

Em alguns países, verificar a quantidade "líquida" de carboidratos dos produtos alimentícios está se tornando uma prática popular entre os seguidores de algumas dietas. Os chamados "carboidratos líquidos" correspondem ao total de gramas de carboidratos presentes em um alimento depois de subtraídos os que são provenientes de adoçantes artificiais, das fibras e dos álcoois de açúcar, ou polióis. A ideia é que esses três tipos de carboidratos não contam como tal porque não causam picos nas taxas de glicose e, assim, não aumentam o apetite.

Por exemplo, imagine que determinada marca de bolo informe na lista de ingredientes que o produto contém 8g de carboidratos líquidos. Entretanto, ao verificar as informações nutricionais no outro lado da embalagem, você observa que, na verdade, o bolo possui 20g de carboidratos. Onde foram parar os outros 12g? O fabricante registra no rótulo que 4g são provenientes de fibras e que 8g vêm de álcool de açúcar. As fibras, segundo eles, são subtraídas do total porque passam pelo trato intestinal praticamente sem ser absorvidas. Sim, isso é verdade, mas apenas no caso das fibras não solúveis, e não no das fibras solúveis.

O álcool de açúcar também é excluído do cálculo dos carboidratos líquidos sob a argumentação de que seu impacto nos níveis de açúcar no sangue (glicose) é mínimo e que, por isso, não deve ser considerado um carboidrato verdadeiro. O álcool de açúcar não é açúcar nem álcool. É um agente adoçante usado para conferir textura e sabor aos alimentos. Ainda assim, é um carboidrato e, como tal, se transforma em glicose, que, por sua vez, estimula o pâncreas (glândula situada na parte posterior do estômago) a produzir quantidades adicionais de insulina. Basta uma pequena elevação no nível desse hormônio para fazer com que as células adiposas não liberem gordura.

Como você pode ver, é a quantidade total de carboidratos contida nos alimentos, e não apenas o teor líquido de carboidratos, que determina a capacidade que o organismo tem de usar a gordura ou de armazenar os carboidratos na forma de gordura. O fundamental é o total de calorias consumidas diariamente – é isso que fornece uma estimativa exata da perda ou do ganho de peso. Contar carboidratos, sejam quais forem, nada tem a ver com o emagrecimento nem com a manutenção do novo peso. Não existem estudos comprovando que os alimentos com poucos carboidratos líquidos ajudem a emagrecer. Nos Estados Unidos, a Food and Drug Administration (FDA) – agência governamental de controle de alimentos e medicamentos – não regula o uso da expressão "carboidratos líquidos" nos rótulos nem verifica os diferentes carboidratos que os fabricantes de alimentos excluem do cálculo para chegar ao seu mágico número "líquido".

Portanto, ao fazer suas compras, concentre-se em alimentos saudáveis, pobres em calorias e em gordura. Escolha os que contêm proteína magra, com quantidade moderada de fibras na forma de carboidratos complexos.

DICA 72: NÃO USE REMÉDIOS NEM SUPLEMENTOS PARA EMAGRECER

Suplementos dietéticos, ervas, pós, remédios e bebidas que contêm compostos do tipo efedrina, conhecidos como éfedra, ou a erva chinesa *ma huang*, são nocivos à saúde. A éfedra está presente em uma grande variedade de produtos para emagrecer sob a argumentação de que auxilia na perda de peso, aumenta a energia e melhora o desempenho físico. Entre os vários efeitos colaterais relacionados a essa substância e outras similares estão hipertensão, aumento da frequência cardíaca, derrame, convulsão, arritmia cardíaca, episódios psicóticos, tontura, insônia, psicose, demência, contrações uterinas e até mesmo morte.

Alguns estados americanos já tornaram ilegal a venda de produtos contendo esses compostos, que estão presentes em muitos chás também. A American Medical Association recomendou à Food and Drug Administration (FDA) - agência de controle de alimentos e medicamentos do governo americano - que proíba o comércio dessas drogas em todo o país em razão dos graves fatores de risco a elas associados. A FDA anunciou planos de banir todos os suplementos dietéticos que contenham éfedra.

VEJA O QUE EVITAR

Os compostos comuns listados a seguir contêm éfedra.

- Efedrina
- *Ma huang*, ou *cao ma huang* (éfedra chinesa)
- Mahuuanggen
- *Muzei mu huang* (éfedra da Mongólia)
- Ecstasy natural
- *Pinellia*
- *Popotillo*
- Malva-branca
- *Zhong ma huang*
- Epitonina
- Fenfluramina-fentermina ("fen-fen")
- ECA (combinação de efedrina, cafeína e aspirina)

OS PRODUTOS PARA EMAGRECER SÃO UMA FURADA

Os produtos dietéticos divulgados como armas poderosas para "queimar calorias", "destruir carboidratos", "bloquear a ação dos amidos" e "construir massa muscular" são uma furada. Eles não fazem nada disso e, em alguns casos, contêm uma substância chamada creatinina, que pode causar danos renais. Alguns deles têm efeito laxante e, em vez de auxiliarem no emagrecimento, promovem a perda de vitaminas, nutrientes, minerais e eletrólitos essenciais do organismo. Outros apresentam também cafeína, que atua como estimulante e provoca nervosismo, palpitações, transpiração, diarreia, ansiedade, insônia e não ajuda a emagrecer. Muitos desses engodos possuem uma combinação de ervas, amido e corantes alimentares misturados com uma série de vitaminas e minerais que nada fazem além de provocar indigestão e azia.

Se a propaganda de um produto anunciar que ele proporciona emagrecimento acelerado em pouco tempo, saiba que não é verdade. Há muito dinheiro envolvido na indústria das dietas, sobretudo na área dos suplementos dietéticos e dos supostos remédios para emagrecer. Os indivíduos que fazem essas promessas fantasiosas não passam de charlatões do marketing que esperam que compremos seus produtos antes de nos darmos conta de que são puro engodo.

Remédios para emagrecer vendidos com receita médica

Não existem remédios para emagrecer seguros, sejam eles comprados com prescrição médica, sejam adquiridos livremente. A única maneira de emagrecer de modo saudável é comer menos, sobretudo menos gordura, e exercitar-se mais.

As anfetaminas, por exemplo, são extremamente prejudiciais à saúde porque podem causar hipertensão arterial, arritmia cardíaca, infarto e derrame.

DICA 73: COMECE O DIA COM UM BOM CAFÉ DA MANHÃ

É importante iniciar o dia alimentando-se de forma saudável. Para um café da manhã nutritivo, escolha entre estas sugestões:

- 1 xícara de iogurte desnatado com uma fruta fresca e 1 colher de sopa de gérmen de trigo
- 1 waffle integral com cobertura de frutas frescas
- 1 torrada integral com 1 colher de chá de requeijão light
- 1 xícara de mingau de aveia cozido com canela e 1/4 de xícara de uvas-passas
- 1 xícara de farelo ou de cereal de trigo integral com 1/2 xícara de frutas frescas
- 1 ovo poché com 1 torrada de pão integral ou de farelo de aveia com 1 colher de chá de geleia de frutas

- 1 omelete feita com 2 claras de ovos acompanhada de 1 fatia de queijo light, tomate, cebola, pimentão verde e/ou cogumelos
- 1 pãozinho integral sem miolo com 1 fatia dc salmão defumado sem sal, requeijão light, tomate e cebola
- 2 panquecas pequenas de trigo integral (feitas apenas com clara do ovo), com cobertura de frutas frescas e/ou de geleia diet
- 1 ovo frito (na margarina ou na manteiga light) e 2 salsichas de soja ou 2 fatias de peito de peru light

DICA 74: CONHEÇA DELICIOSAS SUGESTÕES DE ALMOÇOS LEVES

É importante fazer uma refeição nutritiva e substancial no almoço. Veja a seguir opções light muito saborosas:

- Hambúrguer de soja no pão integral com alface, tomate, cebola e ketchup
- Sanduíche vegetariano no pão integral com brotos, tomate, pepino, alface e 2 colheres de sopa de requeijão light
- Sanduíche no pão integral com 2 colheres de sopa de requeijão light e 1 colher de sopa de geleia
- Sanduíche preparado com 1 pão-árabe médio, 100g de atum (conservado em água), alface, tomate, pepino, brotos e 1 colher de chá de mostarda de Dijon ou de maionese light
- Sanduíche preparado com 1 pão árabe médio, 100g de peito de frango grelhado, 1 colher de chá de maionese light, alface, tomate, aipo e pepino
- Sanduíche no pão integral com 2 fatias de queijo light, 1 colher de chá de mostarda ou de maionese light, alface, tomate, cenoura ralada e brotos
- Sanduíche no pão integral com 2 fatias de peito de peru light, 1 colher de chá de mostarda ou de maionese light, alface e tomate
- 1 xícara de sopa de lentilha, de ervilha ou de qualquer sopa de hortaliça ou de feijão, acompanhada de 1 pãozinho integral
- 12 mariscos cozidos no vapor com 1/2 xícara de molho marinara e 1 pãozinho integral

- Salada Caesar de frango, preparada com 100g de peito de frango grelhado, alface, tomate, aipo, pepino, queijo parmesão light ralado e 2 colheres de sopa de molho Caesar light
- Sanduíche vegetariano feito com 1/2 pão italiano sem miolo, alface, tomate, azeitona, pimentão, cebola, pepino, cenoura e/ou brotos
- Sanduíche feito em 1 pão integral sem o miolo, com 1 fatia de salmão defumado, alface, cebola e tomate
- Queijo quente no pão integral, com 2 fatias de queijo light, 1 colher de chá de mostarda de Dijon ou de maionese light e tomate fatiado
- Sanduíche no pão integral ou no pão árabe com 100g de sardinhas (escorridas), alface, tomate e cebola
- 1 fatia de pizza de queijo light coberta com hortaliças de sua escolha e acompanhada de salada verde regada com 2 colheres de sopa de molho light
- Salada *niçoise* com folhas variadas, atum, vagem, tomate, anchovas, 1/2 ovo cozido fatiado, azeitonas, rabanete, aipo, cebola e pimentão com molho vinagrete de mostarda à parte (mergulhe o garfo na tigela de molho de vez em quando) e 1 pãozinho francês sem miolo

DICA 75: EXPERIMENTE ALGUMAS OPÇÕES DE JANTARES SAUDÁVEIS

Às vezes, é difícil ter ideias criativas para preparar o jantar e mais ainda quando os pratos têm que ser light. Veja a seguir uma lista de jantares saborosos e fáceis de preparar:

- 100g de hambúrguer de carne moída magra no pão integral com alface, tomate, cebola e ketchup, acompanhado de 1 batata-inglesa pequena cortada em palitos e assada no forno (unte um tabuleiro antiaderente com azeite de oliva e asse a 200°C até ficar crocante)
- 1/2 xícara de feijão cozido sem gordura, 1 salsicha de peru light em 1 pãozinho integral com chucrute, rabanete e mostarda, acompanhados de uma salada pequena com 2 colheres de sopa de molho light

- 100g de sardinha (escorridas) ou de atum (conservado em água) com uma salada grande de alface-romana, tomate, pepino, pimentão, cebola, brotos, cenoura e azeitona, temperada com 2 colheres de sopa de molho light para salada ou com molho marinara e mostarda light
- 1 xícara de *fettuccine* de espinafre com hortaliças frescas, temperado com 1/2 xícara de molho de tomate ou molho marinara, acompanhado de salada verde
- 1 xícara de espaguete integral com 12 mariscos, alho, 1/3 de xícara de vinho branco, 1 colher de chá de azeite de oliva e temperos, acompanhado de 1 salada verde grande
- 100g de filé de salmão grelhado, com tomate, cebola, pimentão e alho, acompanhado de 1 batata ou 1 inhame pequeno cozido com a casca e 1 xícara de hortaliças cozidas no vapor
- 1 xícara de repolho-chinês (*bok shoy*) com camarões médios grelhados e alho, acompanhado de 1 xícara de arroz integral
- 100g de rosbife magro com raiz-forte, 1 batata ou 1 inhame pequeno cozido com a casca, 1 xícara de hortaliças cozidas no vapor e 1 pãozinho integral
- 6 camarões médios, 1 espiga de milho pequena e 1 xícara de aspargos, brócolis ou espinafre cozido no vapor
- 100g de bacalhau, cavala ou linguado grelhado ou cozido com cebola, pimentão, cogumelos, tomate, limão, vinho e temperos, acompanhados de 1 pãozinho integral e salada verde
- 2 costeletas de cordeiro (sem a gordura) com 2 colheres de chá de geleia de hortelã, acompanhadas de 1 tomate grelhado, 1 batata-doce pequena assada e salada verde
- 1 salada com queijo de cabra semidesnatado, folhas variadas, tomate, azeitona, pimentão, pepino e aipo, com molho vinagrete e mostarda à parte (mergulhe o garfo no molho de vez em quando), acompanhada de 1 pão francês sem o miolo
- Salada de espinafre com 30g de queijo gorgonzola, 15g de nozes picadas, maçã em fatias, tomate-cereja, pepino e 1 colher de sopa de molho para salada (preparado com 1 colher de sopa de mostarda de Dijon, 1 colher de chá de azeite de oliva e suco e raspas de 1/2 limão)

- 1 xícara de macarrão com queijo, misturado com 1 xícara de abobrinha, tomate em cubos, cebola e alho, acompanhado de 1 espiga de milho ou de 1 batata-doce pequena e de 1/2 xícara de cenoura fresca cozida no vapor

DICA 76: TEMPERE COM ALHO E CEBOLA

Você não precisa cozinhar com toneladas de gordura ou óleo para dar sabor aos alimentos. O alho e a cebola contêm fitonutrientes que decompõem os glóbulos de gordura dos alimentos no trato intestinal, evitando que ela seja absorvida pelo organismo. Isso reduz seu armazenamento nas células adiposas, o que diminui o ganho de peso. O alho e a cebola também ajudam a reduzir o apetite.

Os fitonutrientes presentes no alho auxiliam, ainda, na redução da incidência de doenças cardíacas e na neutralização de alguns vírus que causam distúrbios intestinais e respiratórios. A cebola contém um fitonutriente chamado quercetina, que evita a formação de coágulos sanguíneos, pois reduz a agregação plaquetária. Isso contribui para baixar o risco de infarto e derrame.

Além de proporcionarem benefícios à saúde, tanto o alho quanto a cebola são ótimos temperos para seus pratos favoritos. Aproveite!

DICA 77: SABOREIE UM "SANDUÍCHE DE SALADA"

Para preparar um almoço alternativo com poucas calorias, experimente um sanduíche diferente, feito de salada - de ovo, atum ou frango - e sem pão. Para enrolar os ingredientes da salada, use uma folha grande de alface-romana. Essa opção inovadora e nutritiva de sanduíche vai livrá-lo das calorias extras do pão. E sinta-se à vontade para repetir, pois a segunda porção não atrapalhará em nada seu programa de emagrecimento.

Há muitas opções de sabores para os sanduíches de salada. O uso da alface-romana no lugar do pão transforma esse sanduíche - que pode ser de peru, frango, queijo, etc. - em uma refeição perfeita para quem está seguindo uma dieta. Acrescente fatias de tomate ou de pepino para deixá-lo mais gostoso e crocante. As saladas de atum, frango, siri e ovo também podem se tornar wraps de alface saborosos, nutritivos, pouco calóricos e ricos em proteínas.

Para que esse sanduíche tenha de fato pouca gordura, não se esqueça de que a maionese usada no preparo deve ser light. Experimente temperar a salada de frango com um pouco de curry em pó, erva-cidreira e limão-siciliano ou realce seu sabor adicionando uvas, nozes-pecãs, nozes comuns e maçãs. A salada de siri pode ser feita também com suco de limão, agrião, mostarda de Dijon e um pouco de azeite de oliva. No caso da salada de ovo, use dois ou três ovos cozidos, desprezando a gema de um deles. Isso reduz o colesterol sem prejudicar o sabor do prato. Pique um pouco de endro e de aipo frescos para realçar o sabor.

O OVO E SUAS EXCELENTES QUALIDADES

A gema do ovo não é tão ruim quanto se imaginava. Ela contém duas substâncias químicas – luteína e xantina – que são importantes para proteger a retina dos efeitos nocivos da radiação ultravioleta emitida pelo Sol. Ambas podem contribuir para a diminuição do risco de desenvolvimento de catarata e de degeneração macular. Como o ovo possui pouca gordura saturada, parece não haver associação direta entre o teor de colesterol da gema e doenças cardíacas. O ovo é um alimento pouco calórico e rico em nutrientes que incluem proteína, as vitaminas A e B12, ácido fólico e riboflavina. Para uma boa nutrição e perda de peso, coma um ovo inteiro em dias alternados. Nos demais dias, ingira duas claras bem cozidas ou prepare uma omelete de claras com hortaliças frescas.

DICA 78: MISTURE TUDO E PREPARE UMA SALADA EMAGRECEDORA

Conheça a seguir alguns ingredientes para salada nutritivos e saudáveis, que contêm pouca gordura e calorias, um bom teor de proteína e uma excelente quantidade de vitaminas, sais minerais e fitonutrientes. Misture quaisquer desses itens (ou qualquer outro do gênero) e prepare uma salada deliciosa.

- 1 xícara de alface ou de espinafre (30 calorias, rico em vitamina K e folato)
- 3 colheres de sopa (1/4 de xícara) de uvas-passas (70 calorias, 2g de fibras, 310mg de potássio, 0g de gordura)
- 1 colher de sopa de sementes torradas de girassol, de gergelim ou de nozes (40 calorias, 3g de gordura boa, 1g de fibras, 100 UI de vitamina E)
- 1/3 de xícara de tofu em cubos (30 calorias, 1g de gordura, 10mg de ferro)
- 1/3 de xícara de cenoura picada (10 calorias, 0g de gordura, rica em vitaminas A e B e em caroteno)
- 1/3 de xícara de brócolis (10 calorias, 0g de gordura, rico em vitamina K)
- 1 colher de sopa de queijo feta (25 calorias, 2g de gordura, 50mg de cálcio)
- 1/3 de xícara de beterraba picada (10 calorias, 0g de gordura, 1g de fibras)
- 1/3 de xícara de grão-de-bico (48 calorias, 0,5g de gordura, 1g de fibras, boa fonte de vitaminas B6 e B12)
- 1/3 de xícara de brotos de alfafa (3 calorias, 0g de gordura, 0,5g de fibras)
- 1 clara de ovo picada (20 calorias, 0g de gordura, boa fonte de proteína e de vitamina D)
- 2 azeitonas pretas (21 calorias, 1g de fibras e 4ml de azeite de oliva, que é uma gordura boa)

Acrescente à salada um peito de frango picado ou uma pequena lata de atum conservado em água - isso a transformará em uma refeição completa, com proteína magra.

DICA 79: SAIBA COMO SE ALIMENTAR BEM EM RESTAURANTES E LANCHONETES

Não é preciso dizer que temos mais controle sobre o conteúdo de gordura e calorias das nossas refeições quando as preparamos em casa. O fato de sairmos para comer fora, porém, não significa que precisemos deixar de lado a dieta. Conheça dicas para se manter na linha em restaurantes e em eventos sociais:

- Escolha sempre alimentos pouco gordurosos, como peixe ou frango grelhado, sem molhos cremosos. Como acompanhamento, opte por uma grande salada mista e peça o molho à parte.
- Em muitos restaurantes, as hortaliças são preparadas com gordura. Portanto, uma entrada vegetariana pode não ser tão saudável quanto parece. Não se esqueça de perguntar como esses alimentos serão feitos ou peça que sejam cozidos no vapor, sem gordura nem molhos adicionais.
- Não hesite em devolver o prato em um restaurante caso as instruções que você deu para o preparo da comida não tenham sido seguidas. Por exemplo, se você pediu hortaliças cozidas no vapor, batata cozida e peixe grelhado sem manteiga, é assim que esses alimentos devem chegar à mesa.
- Em festas, casamentos e outros eventos sociais, concentre-se nas frutas e nas hortaliças frescas, sem molho. Dispense todos os tipos de salgadinhos gordurosos.
- Evite consumir muita bebida alcoólica em restaurantes, pois isso pode aumentar seu apetite e fazê-lo ingerir mais calorias. O próprio álcool é muito calórico: 1g dessa substância possui sete calorias, mais do que há em 1g de carboidrato ou de proteína. Se você não abre mão de um drinque no jantar, o vinho é uma boa opção que contém relativamente poucas calorias totais. E durante a dieta é permitido beber 120ml de vinho tinto ou uma cerveja light três vezes por semana.

EM SEU RESTAURANTE FAVORITO

Adotando as sugestões apresentadas a seguir, você pode comer em seu restaurante favorito e ao mesmo tempo se manter na dieta:

Opções saudáveis nos restaurantes mexicanos

Em um restaurante mexicano, fique longe das tortilhas fritas em muito óleo. Peça que sejam assadas no forno e acompanhadas de salsa. Dispense o *sour cream* e não exagere no guacamole, ambos muito gordurosos. As tortilhas de milho (*tostadas* e *enchiladas*) recheadas com frango, molho de tomate e cebola são boas opções. *Burritos* ou *fajitas* sem *sour cream* nem guacamole e com alface, tomate e cebola também são excelentes pedidas de pratos light. Evite feijões *refritos* comuns, *chimichangas* fritas em muito óleo e salada de taco de carne, todos ricos em gordura e calorias.

Opções saudáveis nos restaurantes chineses

Quando você for a um restaurante chinês, não se esqueça de que os alimentos fritos ligeiramente em pouco óleo são melhores do que as frituras por imersão. Escolha pratos com grãos e hortaliças. Em vez do arroz branco, opte pelo arroz integral, que tem mais fibras. (Fique atento, pois existe o arroz frito, que imita o integral na cor, mas é pobre em fibras e rico em gordura.) Prefira a sopa de wonton de hortaliças ou qualquer outra sopa de hortaliças àquelas de carne. Peça que sua comida seja preparada sem molho de soja nem glutamato monossódico.

Escolhas saudáveis nos restaurantes italianos

Ao fazer o pedido em um restaurante italiano, lembre-se de que as massas mais finas, como espaguete, cabelo de anjo e *linguine*, possuem menos calorias do que as mais largas. Prefira os molhos de tomate e marinara (alguns, porém, têm azeite demais, e talvez você precise solicitar ao garçom que o escorra da massa). Os molhos à base de frutos do mar que não levam creme são também boas opções. Evite os molhos cremosos, cheios de gordura, como o Alfredo. Se possível, opte por massa integral ou de espinafre, que contêm um alto teor de fibras.

Experimente pedir uma pizza sem queijo com cobertura de hortaliças frescas variadas. Adicione um pouco de parmesão ralado para dar sabor. Se preferir a pizza com queijo, escolha uma que tenha muitas hortaliças, para aumentar a quantidade de fibras e o valor nutricional.

Uma dica importante: antes de começar a comer a pizza de queijo, seque-a com um guardanapo – isso eliminará o excesso de azeite e de gordura.

DICA 80: COMA MAIS FRUTAS E HORTALIÇAS

Em geral, as pessoas não comem as cinco porções diárias de frutas e hortaliças que são recomendadas para a manutenção da saúde. Um bom truque para ingerir a quantidade indicada desses alimentos é adicioná-los a qualquer prato. Veja estas sugestões:

- Na próxima vez que você pedir um waffle ou uma panqueca, diga que quer a cobertura de frutas. Frutas vermelhas, banana e maçã são ótimas opções. Em alguns restaurantes, se pode solicitar que a fruta seja misturada à massa. E, entre uma panqueca comum e uma de fruta, prefira esta última, é claro.
- Enriqueça a pizza com pimentão, cogumelo, cebola, brócolis ou espinafre.
- Adicione mais hortaliças, como pimentão, cogumelo, cebola e espinafre, à omelete.
- Recheie os sanduíches com pepino, tomate, alface e brotos.
- Realce o sabor das saladas com fatias de maçã, pera ou uva.
- Acrescente pedaços de banana ao sanduíche de queijo light.
- Peça hambúrguer de soja em vez de hambúrguer de carne.

Essas são apenas algumas dicas para você começar. Seja criativo e logo estará comendo as cinco porções.

DICA 81: ESCOLHA OPÇÕES MENOS CALÓRICAS DE FAST-FOOD

Em geral, os alimentos preparados nas lanchonetes do tipo fast-food têm muitas calorias, gorduras saturadas e sal. Além de engordar, eles provocam acúmulo de gordura nas artérias, causando infarto, derrame e hipertensão arterial. No entanto, você pode comer em um desses lugares sem sacrificar a dieta e a saúde. Na próxima vez que for a uma lanchonete, consulte a lista a seguir para saber quais são as melhores e as piores opções de fast-food.

AS MELHORES PEDIDAS

Se você tem pouco tempo para comer, conheça algumas opções de fast-food que não engordam:

- Hambúrguer simples, sem queijo nem molho. Acrescente alface, tomate e cebola. Adicione ou não ketchup ou maionese light. Dispense a batata frita e peça um refrigerante light/diet.
- Sanduíche de frango grelhado sem maionese ou, melhor ainda, salada Caesar com frango grelhado, mas com molho vinagrete de ervas light à parte.
- Taco de frango sem molho.
- Pizza sem queijo nem carne. Adicione hortaliças frescas para aumentar o valor nutricional.
- Salada simples grande ou com frango grelhado. Peça o molho à parte.
- Sanduíche de rosbife sem molho.
- Batata frita: se não conseguir dispensá-la, divida uma porção pequena com alguém ou coma apenas a metade e jogue o resto fora.

AS PIORES PEDIDAS

Veja a seguir as opções de fast-food que devem ser evitadas:

- Um cheesebúrguer duplo comum, com batata frita grande e 1 copo grande de refrigerante, contém aproximadamente 1.800 a 2.000 calorias e em torno de 100g de gordura, dos quais quase 40 são de gordura saturada. Tem também cerca de 1.500mg de sal. Para a maioria das pessoas, isso corresponde ao total de calorias que elas devem consumir durante um dia inteiro. Além disso, apresenta uma quantidade três a quatro vezes maior de gordura e sal do que a recomendada para o consumo diário.
- 2 fatias de pizza com queijo e/ou carne contêm 750 a 800 calorias, 35 a 40g de gordura (dos quais 15g são de gordura saturada) e 2.000mg de sal.
- Sanduíches com peixe frito contêm em torno de 700 calorias, 40g de gordura (dos quais 15g são de gordura saturada) e 1.200mg de sal.

- Nachos com queijo e sour cream contêm 1.200 a 1.300 calorias, 80g de gordura (dos quais 25g são de gordura saturada) e 2.500mg de sal.
- Um milk-shake de chocolate contém quase 800 calorias e 40g de gordura (dos quais 25g são de gordura saturada).
- Um refrigerante grande tem 200 calorias.
- Uma porção grande de batata frita contém mais de 600 calorias, 20g de gordura e 10 a 12g de gordura saturada.
- Frango frito ou um wrap de frango frito com queijo e molho contêm 700 calorias e 44g de gordura (dos quais 12g são de gordura saturada) e 2.000mg de sal.

DICA 82: COMO APROVEITAR O MELHOR DO PIOR

Infelizmente, há muitas ocasiões em que não temos a opção de comer algo saudável. O que fazer se você estiver esperando o avião e as opções de alimentação no aeroporto forem péssimas? Ou se estiver no cinema ou em um evento esportivo em que a oferta de alimentos disponíveis é limitada? Ou ainda em uma festa ou reunião de trabalho – a variedade de situações é grande.

O fato de você estar de dieta não significa que tenha que passar fome. Tudo o que você precisa fazer é escolher os melhores entre os piores alimentos. Veja exemplos de como fazer isso.

ESCOLHENDO ENTRE SALGADINHOS DE PACOTE E NOZES VARIADAS

Seu voo sairá em 30 minutos e você quer comer alguma coisa rapidamente para forrar o estômago. As opções são limitadas e não muito adequadas. O que fazer?

Os salgadinhos de pacote são ricos em gordura e calorias e pobres em fibras e proteína – uma péssima combinação. Sejam eles de batata, de milho ou de qualquer outro sabor, sempre têm muita gordura e pouco valor nutritivo. O amendoim e outras nozes também possuem um alto teor de gordura e calorias, no entanto contêm proteína e fibras suficientes para manter a fome sob controle até a próxima refeição saudável. Portanto, prefira as nozes: elas são a melhor escolha nesse caso.

ESCOLHENDO ENTRE CACHORRO-QUENTE, HAMBÚRGUER E PIZZA

Você está se divertindo em um estádio de futebol quando seu acompanhante decide comprar alguma coisa para comer. Embora também esteja com fome, você não quer sair da dieta. O que fazer?

Tanto o cachorro-quente quanto o hambúrguer contêm grande quantidade de gordura saturada, mas apresentam alto teor de proteína. Ainda assim, quem sabe de fato o que está dentro daquele cachorro-quente ou que aditivos e substâncias contaminantes esconde aquele hambúrguer suculento? A pizza também concentra muitas calorias e gordura; no entanto, tem a proteína e o cálcio do queijo, além das fibras e dos antioxidantes (sobretudo licopeno) presentes no molho de tomate. Por isso, desde que você não peça a de linguiça calabresa, a pizza será a melhor escolha entre as piores.

ESCOLHENDO ENTRE BISCOITOS RECHEADOS, BOLINHOS E UM PÃOZINHO COM REQUEIJÃO

Você está em uma reunião de manhã cedo no escritório e as opções de café da manhã são altamente calóricas. De qualquer modo, é sempre melhor tomar o café da manhã do que pular uma refeição. Então, que fazer?

Tanto os biscoitos quanto os bolinhos têm alta concentração de gordura e calorias, com pouca ou nenhuma fibra. O requeijão comum possui muita gordura, porém fornece cálcio e proteína. E o pãozinho é rico em calorias, mas tem um pouco de fibra. Portanto, ele é a melhor opção entre as piores. Para aprimorá-lo, retire o miolo e passe uma quantidade bem pequena de requeijão.

ESCOLHENDO ENTRE UM TABLETE DE CHOCOLATE, BOLACHAS DE QUEIJO E PIPOCA

Você está diante do balcão de alimentos do cinema em busca de algo para enganar o estômago até o fim do filme, e as opções parecem desanimadoras. O que fazer?

O tablete de chocolate é muito rico em gordura – cerca de 10 a 15g e, na sua maior parte, saturada. Além disso, contém algo em torno de 250 a 300 calorias, o que faz dele a pior alternativa nesse caso. As bolachas de queijo possuem grande quantidade de carboidratos refinados, gordura e calorias, embora não tanto quanto o chocolate. Sua única qualidade redentora está nos 3 ou 4g de proteína. Nada bom, mas uma escolha mais saudável do que a opção anterior. A pipoca, por sua vez, tem fibras (cerca de 2g em um saco pequeno) e consideravelmente menos calorias do que o chocolate e as bolachas de queijo. Embora apresente um alto teor de carboidratos, ela satisfaz o apetite por mais tempo por causa das fibras. Portanto, desde que venha sem manteiga, a pipoca é a melhor pedida entre as piores.

ESCOLHENDO ENTRE BOLO E SORVETE

Bolo e sorvete são as opções de sobremesa mais comuns em festas. O que fazer quando você deseja comemorar com um doce, mas não quer sair da dieta?

Além de ser rico em calorias, gordura e açúcar refinado, o bolo não apresenta nenhuma qualidade nutricional redentora. Se ele tiver uma cobertura farta e gordurosa, é ainda pior. O sorvete é rico em gordura, sobretudo em gordura saturada, mas contém cálcio, potássio e proteína, o que o torna a melhor opção nesse caso. Se possível, prefira sua versão light.

DICA 83: FAÇA EXERCÍCIOS E EMAGREÇA

Você sabe que para emagrecer é preciso que o número de calorias ingeridas seja menor do que o número de calorias queimadas. Neste livro você conheceu várias maneiras de emagrecer comendo alimentos saudáveis e com pouca gordura. Faltava uma peça nesse quebra-cabeça: exercitar-se regularmente para queimar o excesso de calorias.

Não é necessário ir correndo se matricular em uma academia nem fazer aulas de aeróbica para se livrar da gordura. Você pode queimar calorias subindo escadas, limpando a casa, andando de bicicleta, cuidando do jardim ou apenas caminhando durante 30 minutos diariamente.

Nem é preciso suar muito para obter resultados. Estudos revelam que quem faz uma caminhada acelerada por 30 minutos todos os dias queima gordura, melhora o condicionamento físico e reduz a pressão arterial tanto quanto quem se exercita na academia três a quatro vezes por semana (ou ainda mais). Duas caminhadas diárias de 15 minutos proporcionam benefícios idênticos, em termos de condicionamento físico e queima de gorduras, aos de uma caminhada diária de 30 minutos.

O emagrecimento, porém, não deve ser o único motivo para você se exercitar. Um estudo realizado em uma importante universidade mostrou que as mulheres sedentárias, além de ganharem gordura no abdômen, nas nádegas e nas coxas, passaram a concentrar uma quantidade maior de gordura em torno dos órgãos internos. Isso aumenta o risco de doenças cardíacas, hipertensão e diabetes. A pesquisa revelou também que a prática de exercícios físicos de intensidade moderada, por 30 a 40 minutos, cinco vezes por semana, reduziu em mais de 35% a gordura localizada mais profundamente, proporcionando uma perda de peso considerável em três meses.

Outra vantagem dos exercícios é contribuir para o aumento dos níveis de energia. Com a abrangência cada vez maior do uso do computador, muitas pessoas diminuíram a quantidade de esforço físico que realizavam diariamente. Seria lógico então que tivessem energia disponível para gastar em outras atividades. Entretanto, muitas vezes percebemos que, quanto menos fazemos, mais cansados ficamos, ao passo que, quanto mais ativos estamos, mais energia temos para outras atividades. O exercício melhora a eficiência dos pulmões, do coração e do sistema circulatório para receber e distribuir o oxigênio por todo o organismo. Esse oxigênio é o catalisador que queima o combustível - os alimentos que ingerimos - para produção de energia. Assim, quanto mais oxigênio recebemos, mais energia temos para todas as atividades.

O oxigênio é o ingrediente imprescindível à nossa sobrevivência. Como não é possível estocá-lo, as células precisam recebê-lo em suprimentos constantes para permanecerem saudáveis. Os exercícios aumentam a capacidade que o organismo tem de extrair oxigênio do ar, para que quantidades maiores desse elemento estejam disponíveis para cada órgão, tecido e célula do organismo. A atividade física de fato aumenta o volume total de sangue, fazendo com que haja mais células vermelhas para levar oxigênio e nutrientes aos tecidos e eliminar o dióxido de carbono e os produtos residuais do organismo. Essa saturação crescente dos tecidos pelo oxigênio ajuda também na abertura de pequenos vasos sanguíneos, outro benefício direto dos exercícios.

Portanto, vamos dar aquele primeiro passo rumo à energia, ao condicionamento físico e à verdadeira perda de peso. Exercitar-se todos os dias - caminhando, usando bicicleta para ir trabalhar, subindo escadas ou frequentando a academia - mantém o suprimento de oxigênio circulando pelos vasos sanguíneos em direção a todas as células famintas. Não as decepcione, porque você depende delas tanto quanto elas dependem de você. Se forem privadas da sua provisão diária de oxigênio, elas se vingarão na forma de uma doença, mas, se você lhes der aquilo de que precisam, elas o recompensarão com a saúde.

DICA 84: SIGA O PROGRAMA

Quantas vezes você ouviu alguém ou até mesmo você dizer: "Vou desistir. Fazer exercícios é muito chato." Mais de 65% das pessoas que iniciam um programa de atividade física o abandonam quatro a seis semanas depois. Uma surpresa, certo? Na verdade, não. O entusiasmo inicial costuma ser rapidamente substituído pelo tédio. Os equipamentos e as roupas para ginástica que as pessoas compram acabam indo para o fundo do armário.

O segredo para se manter fiel a um programa de exercícios é torná-lo divertido. Praticar uma atividade física não é apenas um meio de obter condicionamento, saúde, controle do peso e longevidade. É também uma forma de entretenimento que alivia o estresse. Veja a seguir algumas dicas para manter seu programa de exercícios interessante, agradável e prazeroso, de modo que você emagreça sem nem sequer perceber:

- **Não espere resultados muito cedo.** Não importa se o seu objetivo é perder peso ou obter condicionamento físico, lembre-se: "Roma não foi feita em um dia - nem você." Dê tempo ao seu corpo para que ele se adapte ao programa de caminhada regular.
- **Torne seu programa de exercícios conveniente e flexível.** Quanto

mais adaptado você estiver aos horários e locais da atividade física, maior será a probabilidade de praticá-la com regularidade.

- **Procure variar os horários.** Varie o período do dia em que se exercita (de manhã, à tarde ou à noite), de acordo com a programação do seu dia.
- **Mude sua rotina a cada uma ou duas semanas.** Procure diversificar as atividades para não se entediar com o programa. Faça uma longa caminhada à tarde ou à noite depois do trabalho. Ande de bicicleta por uma hora em uma tarde do fim de semana. O exercício não precisa ser monótono.
- **Pese-se apenas uma vez por semana.** Observe se está emagrecendo na medida desejada ou se está apenas se exercitando para manter o peso atual.
- **Exercite-se com um amigo ou amiga.** Além de beneficiar a saúde, a prática de exercícios pode ser uma atividade social. Ter companhia nesses momentos torna tudo mais divertido e pode estimulá-lo quando você não estiver se sentindo muito motivado.
- **Não tema interromper o programa de exercícios por alguns dias ou até por uma semana.** Qualquer programa de exercícios pode se tornar um pouco cansativo. Um intervalo de alguns dias lhe permitirá ganhar "gás" e retomar a atividade física com interesse e entusiasmo renovados. Lembre-se de que você não vai recuperar todo o peso que já perdeu nem ficará fora de forma se fizer uma pausa de vez em quando.
- **Nunca se exercite se estiver doente ou com uma lesão.** O corpo sempre precisa de tempo para se recuperar de um problema. Lembre-se: você não pode fazer exercícios se estiver doente ou com alguma lesão. Quem não respeita essa orientação acaba colhendo resultados desastrosos. Por exemplo: uma distensão muscular pode dar origem a uma fratura óssea, enquanto um simples resfriado pode se transformar em uma pneumonia. Ouça o seu corpo.
- **Dê a si mesmo um presente por cumprir o programa de exercícios.** Por exemplo: ingressos para uma peça ou para um jogo que você quer muito ver, um vestido novo ou uma camisa nova, um fim de semana em uma pousada. Faça isso. Você merece.

DICA 85: CONTROLE O APETITE EXERCITANDO-SE

Muitas pessoas hesitam em iniciar um programa de exercícios junto com a dieta por temerem que a atividade física estimule seu apetite, fazendo-as comer mais. No entanto, contrariando essa crença popular, a prática de exercícios de intensidade moderada diminui a fome. Isso ocorre por meio de diversos mecanismos:

1. Os exercícios regulam o mecanismo cerebral que controla o apetite. Exercitar-se pouco estimula o cérebro a aumentar a sensação de fome. Por outro lado, exercitar-se na medida adequada desacelera esse mecanismo fazendo-o diminuir a fome.
2. Os exercícios redirecionam o suprimento de sangue do estômago para os músculos que estão sendo trabalhados. Como uma quantidade menor de sangue é fornecida ao estômago, o apetite diminui.
3. Os exercícios de intensidade moderada, como caminhadas, queimam gordura em vez de carboidratos e, portanto, não provocam quedas abruptas na taxa de açúcar no sangue (glicose). Tanto os exercícios vigorosos quanto a dieta pobre em calorias fazem com que o nível de açúcar no sangue diminua depressa, e é exatamente a baixa de glicose que estimula o apetite e nos deixa com fome. Caminhar, por sua vez, é uma atividade física de intensidade moderada, por isso queima gordura devagar (em vez de queimar carboidratos rapidamente), o que mantém constante a taxa de glicose. E, quando esse nível é estabilizado, não sentimos fome.
4. Os exercícios contribuem também para elevar a taxa metabólica basal (TBM), como explica a Dica 86. A TMB corresponde às calorias que o organismo queima em repouso, a fim de gerar energia. Em uma dieta de restrição calórica, a TBM fica mais lenta porque o corpo imagina que a redução de calorias está sendo provocada pela falta de alimentação. Dessa maneira, ele passa a queimar menos calorias para evitar que a pessoa morra de fome. Esse é um dos motivos que interrompem o processo de emagrecimento a certa altura das dietas de restrição calórica. No entanto, se uma atividade física como a caminhada for associada ao programa alimentar, ela ajudará a manter a TBM elevada ape-

sar do regime. O resultado será menos fome e mais calorias queimadas durante o exercício diário.

DICA 86: ACELERE O METABOLISMO COM UM PROGRAMA DE ATIVIDADE FÍSICA

Quem faz dieta chega, invariavelmente, a um ponto em que não consegue emagrecer mais, não importa quantas calorias reduza na alimentação. O ponteiro da balança se recusa a sair do lugar. Essa interrupção costuma ser frustrante e, muitas vezes, faz com que a pessoa desista de perder peso.

A única maneira de superar essa dificuldade é intensificar os exercícios aeróbicos e o treinamento de força. Atividades aeróbicas, como caminhar, pular corda, dançar, praticar tênis e outros esportes, podem ser parte do programa de condicionamento físico, pois queimam as calorias que não conseguimos perder apenas com o regime alimentar. Exercitar-se durante 20 minutos por dia pode melhorar a capacidade cardiovascular e, ao mesmo tempo, eliminar as indesejáveis calorias provenientes da gordura, o que ajuda a acabar com o período de estagnação da dieta. Em quatro a seis semanas, os teimosos quilos extras desaparecem à medida que nos aproximamos do peso desejado.

A vantagem de praticar uma atividade física com regularidade é o fato de continuarmos a queimar calorias depois que paramos de nos exercitar. A queima de gordura permanece durante muitas horas após o término da sessão de exercício aeróbico. Leva um tempo até que a taxa metabólica desacelere, motivo pelo qual podemos ingerir calorias logo depois de caminhar sem que isso cause aumento de peso.

E, antes que o organismo tenha chance de baixar a TMB, já estaremos nos exercitando de novo. Assim, o corpo começa a se acostumar a uma TMB mais alta e, portanto, funciona a uma velocidade mais acelerada no dia a dia. Isso proporciona uma queima maior de calorias por dia, o que significa mais emagrecimento e menos recuperação do peso.

O oposto também é verdadeiro. Praticar pouco ou nenhum exercício deixa o metabolismo mais lento. Isso significa que queimamos menos calorias do que ingerimos e ganharemos peso aos poucos. O excesso de calorias vai direto para as células que armazenam gordura, onde permanecem confortavelmente. O resultado, é claro, é o excesso de gordura estocada no abdômen, nas nádegas, nos quadris e nas coxas.

A atividade física, como um programa de exercício aeróbico, também diminui a fome, inibindo o mecanismo cerebral que regula o apetite, como expliquei na Dica 85. Para o cérebro, se estamos nos exercitando, não devemos comer. O resultado disso é que nossa fome se abranda, ingerimos uma quantidade menor de calorias e, assim, engordamos menos. À medida que queimamos o excesso de calorias, estamos elevando nosso nível de energia. O exercício aeróbico provoca o aumento da energia e eleva os níveis de endorfina, gerando a sensação de bem-estar. Essa energia extra nos estimula a continuar praticando a atividade aeróbica. Dessa forma, não apenas passamos a ter mais disposição e a nos sentir mais felizes e motivados, como também perdemos peso.

DICA 87: MELHORE O METABOLISMO COM O TREINAMENTO DE FORÇA

Se, além da atividade aeróbica, realizarmos um treinamento de força (com pesos), começaremos a desenvolver massa muscular, elevando ainda mais a taxa metabólica basal (TMB). O aumento da massa muscular proporcionado por esse tipo de treino contribui para que a queima de calorias ocorra em um ritmo mais acelerado, até mesmo quando estamos em repouso. Cerca de 500g de músculo queima 10 vezes mais calorias do que 500g de gordura. Os exercícios com pesos, portanto, nos ajudam a emagrecer e não voltar a engordar. A combinação de uma alimentação saudável com uma atividade aeróbica e um treinamento de força remodela o corpo à medida que vamos perdendo os quilos indesejados.

Estudos divulgados no Encontro de Biologia Experimental de 2004, em Washington, D.C., mostraram que sessões curtas de exercícios simples com pesos ajudaram homens e mulheres a emagrecer e não voltar a engordar. O treinamento de força contribuiu também para fortalecer o sistema imunológico e reduzir a pressão arterial. Seguindo uma dieta com pouca gordura, baseada no consumo moderado de carboidratos complexos e proteínas, associada a sessões simples de treinamento de força durante 14 semanas, os participantes desse estudo emagreceram perdendo gordura e aumentaram a proporção da massa muscular na composição do peso corporal. Além disso, tiveram melhora significativa na pressão arterial, no ritmo cardíaco e no condicionamento aeróbico.

Uma pesquisa semelhante revelou que pessoas de meia-idade e idosas desenvolviam músculos mais fortes e um sistema imunológico mais saudável quando caminhavam com regularidade, além de praticarem exercícios com pesos. Muitos dos participantes desse estudo eram moderadamente obesos quando iniciaram o programa. Depois de 12 semanas, a maioria deles havia emagrecido de forma significativa e ganhado massa muscular. Essas pessoas também adquiriram maior capacidade cardiovascular, fortaleceram a musculatura e elevaram os níveis de energia.

O treinamento de força é essencial para o controle do peso, o fortalecimento muscular, a saúde óssea e o bem-estar geral. Os exercícios de força, assim como o uso de pesos nas mãos durante uma caminhada, tornam os músculos e os ossos mais fortes. Os ossos adquirem resistência porque a contração da musculatura faz com que eles absorvam mais cálcio do sangue e o percam em menor quantidade. Com um teor mineral mais alto, eles ficam menos frágeis à medida que envelhecemos.

Estudos mostram que o treinamento de força deve ser realizado duas ou três vezes por semana, em dias alternados, para evitar danos às fibras musculares, que precisam de tempo para se regenerar do estresse causado pelos exercícios com pesos. Além disso, é recomendado variar os grupos musculares durante os treinos para que todos eles possam ser beneficiados. Pesquisas na área da fisiologia do exercício indicam que trabalhar os grupos musculares apenas duas vezes por semana os deixa tão fortes e tonificados quanto exercitá-los três vezes por semana.

De acordo com um grande número de pesquisas, indivíduos que praticaram treinamento de força aumentaram a massa muscular em cerca de 1,5kg, enquanto pessoas sedentárias perderam 500g de massa muscular no período de um ano. De maneira análoga, observou-se que a densidade mineral óssea aumentou em 1% no grupo que se exercitava com pesos e diminuiu 2,5% entre os demais. Além disso, o treinamento de força proporcionou, tanto a homens quanto a mulheres, um aumento de 4% da massa muscular e uma redução de 8% da gordura corporal.

Mas o que todos esses números querem dizer, afinal? Que, se nos exercitarmos com pesos, os nossos músculos ficarão mais definidos e nos sentiremos mais fortes, porque a musculatura se tornará firme e vigorosa. Teremos mais equilíbrio e nossas articulações ganharão mais flexibilidade. Vamos dispor de muito mais energia e confiança. Nossos ossos passarão a ser estruturalmente mais resistentes e correremos um risco menor de sofrer fraturas à medida que envelhecermos.

VOCÊ TEME FICAR MUSCULOSO DEMAIS SE TREINAR COM PESOS?

Homens e mulheres hesitam em iniciar atividades de treinamento de força temendo que seus músculos fiquem muito volumosos. Na verdade, as mulheres não precisam ter medo de se transformar em um Arnold Schwarzenegger. Os homens nascem com uma quantidade maior de massa muscular e também a desenvolvem mais porque têm níveis mais elevados de testosterona do que o sexo oposto. Contudo, em decorrência de fatores genéticos e dos níveis de estrogênio, algumas mulheres possuem mais gordura corporal do que os homens. Portanto, é pouco provável que fiquem excessivamente musculosas. No caso do sexo feminino, os exercícios com pesos aumentam a taxa metabólica basal (TMB), o que queima as calorias extras e evita a hipertrofia muscular. Praticando um treinamento de força, como repetições com cargas leves na academia ou caminhadas com pesos nas mãos, elas obterão uma melhora geral no tônus e na força muscular. Sua musculatura ficará mais definida, e seu corpo, mais bonito e mais firme.

O QUE É BOM PARA A APARÊNCIA É BOM PARA O CORAÇÃO

Os exercícios com pesos são bons também para o músculo mais importante do corpo: o coração. Segundo um relatório da American Heart Association publicado no *Journal of Circulation* em fevereiro de 2000, há indícios crescentes de que o treinamento de força pode modificar favoravelmente muitos fatores de risco para doenças cardíacas, como colesterol e triglicerídios, pressão arterial, níveis de gordura corporal e metabolismo da glicose. Antes, acreditava-se que o treinamento de força, embora ajudasse a desenvolver e definir os músculos, quase não beneficiava o sistema cardiovascular e, na verdade, até poderia ser prejudicial para o coração. Essa pesquisa acabou com uma série de mitos e conceitos equivocados quanto a esse tipo de atividade física. Mostrou que ela não é nem um pouco nociva se a pessoa usar o bom senso e não tentar se transformar em um halterofilista.

Outra pesquisa sobre esse assunto, publicada no *Journal of Hypertension*, também em fevereiro de 2000, mostrou que o treinamento de força foi capaz de reduzir de modo significativo a pressão arterial. As mulheres que se exercitaram com regularidade usando cargas leves apresentaram, em repouso, uma redução tanto da pressão arterial sistólica (quando os músculos do coração se contraem) quanto da pressão arterial diastólica (quando os músculos do coração relaxam). Isso ocorria independentemente de sua composição corporal e de fazerem exercícios com uma carga mais pesada e longos intervalos ou exercícios com carga mais leve e intervalos mais curtos.

DICA 88: CONQUISTE BENEFÍCIOS SEM SOFRER

Os exercícios não precisam ser estressantes, dolorosos nem cansativos para serem benéficos. A atividade física de intensidade moderada previne as doenças cardíacas e é um componente saudável de qualquer programa de emagrecimento ou de condicionamento físico.

De acordo com um estudo que envolveu mais de 17 mil homens e mulheres, a prática de exercícios de intensidade moderada é um fator independente na prevenção de mortes por doenças cardiovasculares. A American Heart Association apresentou as seguintes conclusões:

- Independentemente da pressão arterial, da taxa de colesterol e da idade, os exercícios de intensidade moderada exercem um efeito positivo na prevenção de doenças cardíacas e derrame.
- Homens com condicionamento físico abaixo de 20% apresenta-

ram uma incidência de doenças cardíacas 50% maior em comparação com aqueles cujo condicionamento físico estava na faixa de 30 a 50%.

- Mulheres com condicionamento físico abaixo de 20%, no entanto, apresentaram uma incidência de doenças cardíacas 70% maior em comparação com aquelas cujo condicionamento físico estava na faixa de 30 a 50%.
- A principal constatação foi de que "basta um pouco de exercício" para reduzir o risco de doenças cardíacas.

Pesquisadores dos Centers for Disease Control em Atlanta revelaram uma descoberta surpreendente depois de analisarem 43 estudos anteriores sobre doenças cardíacas. O único fator estatisticamente significativo na predisposição para o desenvolvimento desses males foi o *sedentarismo*, que apareceu em todos os estudos. As pesquisas mostraram que as pessoas que se exercitavam pouco corriam quase o dobro do risco de ter doenças cardíacas do que as que praticavam exercícios de modo regular. Esse estudo em especial reuniu as conclusões de 43 trabalhos que haviam avaliado a atividade física de maneiras diferentes. A caminhada era tão eficaz quanto qualquer outro tipo de exercício na prevenção de doenças cardíacas, sem o risco de ocorrência de lesões e acidentes incapacitantes presente em treinos mais vigorosos. Essa análise sugere que o sedentarismo pode ser um fator de risco tão decisivo para o surgimento de doenças cardíacas quanto a hipertensão arterial, o tabagismo e o colesterol alto.

Portanto, não se preocupe em atingir a chamada "frequência cardíaca ideal" durante a atividade física nem se está ou não se exercitando com a intensidade suficiente. Como mostram essas pesquisas, exercícios de intensidade moderada mantêm o coração e o corpo em sua melhor forma.

DICA 89: AQUEÇA-SE ANTES E ALONGUE-SE DEPOIS

Os exercícios de alongamento podem melhorar a flexibilidade de articulações, músculos e tendões, deixando o corpo menos propenso a lesões. O alongamento também aumenta o fluxo de sangue para os músculos que estão sendo trabalhados. Alongar-se antes da prática de exercícios tonifica os músculos e os ligamentos, com a vantagem de protegê-los de lesões durante a caminhada e outros treinos. Há também indicações crescentes de que o alongamento exerce um efeito calmante sobre o sistema nervoso central, transmitindo sinais relaxantes ao longo das trilhas que os neurotransmissores químicos percorrem do sistema nervoso periférico até o cérebro.

Novas pesquisas sugerem que devemos aquecer os músculos antes dos exercícios de alongamento. Para isso, basta uma caminhada leve de cinco minutos ou uma sessão também de cinco minutos na bicicleta ergométrica ou na esteira, em velocidade bem baixa. Assim, antes de alongarmos os músculos, primeiro nos aquecemos. Em seguida, nos alongamos para que os músculos, os ligamentos e as articulações estejam aquecidos antes que comecemos a nos exercitar com mais vigor. Pense nisso como um "aquecimento duplo".

TÉCNICAS DE ALONGAMENTO ADEQUADAS E EXEMPLOS DE ALONGAMENTO

O alongamento deve ser feito lentamente. O ideal é alongar um grupo muscular de cada vez.

Alongamento dos braços

Estenda os braços à frente do corpo e os mantenha nessa posição por 5 a 10 segundos. Abaixe-os devagar e deixe que relaxem por mais 5 a 10 segundos. Em seguida, estenda os braços ao lado do corpo e os mantenha nessa posição por 5 a 10 segundos. Abaixe-os lentamente e deixe que relaxem por mais 5 a 10 segundos. Repita o exercício posicionando os braços acima da cabeça. Depois, execute-o com os dedos das mãos entrelaçados por trás da cabeça e os cotovelos flexionados como se você estivesse se espreguiçando ao sair da cama.

Em cada um desses exercícios, alongue os braços, estendendo-os e afastando-os do corpo e depois trazendo-os de volta na direção do corpo. Lembre-se de executar os movimentos lentamente. Se doer, é porque você está alongando demais os músculos.

Alongamento do pescoço

Para alongar os músculos do pescoço, primeiro deixe a cabeça pender para trás, mantendo os olhos voltados para cima, por 10 segundos. Relaxe, retome a posição normal e permaneça assim por mais 10 segundos. Repita o exercício três vezes: girando a cabeça para a esquerda, depois para a direita e, por fim, olhando para baixo. Observe sempre o tempo de 10 segundos, em seguida relaxe e fique na posição normal por esse mesmo período.

Alongamento das pernas

Para alongar os músculos e os ligamentos das pernas, sente-se em uma cadeira e alongue uma perna de cada vez à frente do corpo por 10 segundos. Depois, relaxe os músculos, flexione o joelho e mantenha-se nessa posição por mais 10 segundos. Em seguida, relaxe os músculos e apoie o pé no chão. Repita com a outra perna.

Simples de executar, esses exercícios de alongamento são capazes de proporcionar o máximo de flexibilidade a músculos, ligamentos e articulações. Embora não sejam tão elaborados quanto os movimentos da ioga e do tai chi chuan, são eficazes para tonificar o corpo e deixá-lo mais ágil. Além disso, auxiliam na preparação para o condicionamento físico e também mental. Eles nos ajudam a entrar em contato com nosso corpo à medida que vamos sentindo seus lentos e relaxantes movimentos. Vá com calma, respire profundamente durante os exercícios para aproveitar ao máximo as técnicas de relaxamento.

Você pode desenvolver qualquer esquema de alongamento que considere adequado, pois esse é um exercício individual – o que parece bom para uma pessoa pode não ser satisfatório para outra. Quando terminar, seus músculos devem estar relaxados, e não tensos e contraídos.

DICA 90: PROGRAME AS HORAS DAS REFEIÇÕES E DOS EXERCÍCIOS

Sempre me perguntam qual é a melhor hora para praticar exercícios. Antes ou depois de comer? Quanto tempo antes? Quanto tempo depois? Muitos atletas profissionais programam seus treinos diários levando em conta o horário das refeições. Além disso, não são poucos os aficionados da atividade física que se tornam fanáticos e inflexíveis quando se trata da sequência de exercícios e refeições. Embora uma pessoa que se exercite de forma comum não tenha que obedecer a esquemas tão rigorosos, é essencial que conheça, pelo menos em parte, a fisiologia da digestão.

Quando o alimento é ingerido, o coração bombeia uma quantidade significativa de sangue para o estômago, com o objetivo de auxiliar na digestão. Isso não é um problema quando estamos em repouso. Contudo, se decidirmos nos exercitar logo depois de comer, haverá um conflito de interesses. Os músculos que estão sendo trabalhados e o estômago terão que competir pelo sangue necessário à digestão. Se a atividade física ficar mais vigorosa, a digestão será interrompida, começaremos a nos sentir inchados e teremos cólicas abdominais. O exercício, portanto, deve ser iniciado depois que a comida já tiver passado pelo estômago e pelo intestino delgado. Isso ocorre cerca de duas a três horas após uma refeição pesada e 60 a 90 minutos após uma refeição leve.

Itens com alto teor de gordura e proteína são digeridos devagar e tendem a permanecer no trato digestivo por mais tempo do que aqueles que são ricos em carboidratos complexos (hortaliças, frutas, cereais de grãos integrais, pães e massas integrais). Alimentos com grande quantidade de açúcar refinado, como bolos, doces e tortas, podem provocar uma liberação exagerada de insulina e não devem ser ingeridos imediatamente antes da atividade física. O excesso desse hormônio, associado ao cansaço resultante dos exercícios, pode ocasionar uma queda drástica no nível de açúcar no sangue, provocando fraqueza, câibras musculares e até desmaios.

Por outro lado, também não é produtivo ficarmos um longo período sem comer antes de iniciarmos a atividade física. Para repor o glicogênio que é estocado no fígado e nos músculos para a produção de energia, precisamos nos alimentar horas antes de nos exercitar. Permanecendo em jejum, acabamos com esse estoque e somos privados das reservas adequadas para a geração de energia. Com isso, os exercícios se tornam difíceis e cansativos.

Sendo assim, o que tudo isso tem a ver com o horário em que praticamos exercícios? O essencial a saber de toda essa explicação sobre a fisiologia digestiva é que não devemos nos exercitar logo depois de comer, sobretudo se a refeição tiver sido grande. Isso sobrecarrega o sistema cardiovascular e pode até privar o coração do seu próprio suprimento fundamental de sangue, em especial se fizermos exercícios vigorosos.

PROCURE CAMINHAR UMA HORA ANTES E UMA HORA DEPOIS DAS REFEIÇÕES

Realizar exercícios de intensidade moderada, como caminhar por 45 a 60 minutos depois de uma refeição pequena e por 60 a 90 minutos após uma refeição média, pode ajudar na digestão, empurrando delicadamente os alimentos ao longo do trato digestivo, pois os músculos envolvidos na caminhada não exigem todas as moléculas de oxigênio disponíveis, como fazem aqueles que são usados nos exercícios mais vigorosos. Na verdade, a suave arte da caminhada permite que o oxigênio seja distribuído de modo uniforme entre todos os órgãos internos, como o trato digestivo.

Estudos revelam que as pessoas que fazem dieta e caminham antes e depois das refeições obtêm quatro benefícios. Em primeiro lugar, como vimos na Dica 85, andar antes de comer desacelera o mecanismo cerebral que controla o apetite, diminuindo a fome. Em segundo lugar, caminhar queima calorias instantaneamente a qualquer hora. Em terceiro lugar, pesquisas sobre a fisiologia do exercício mostram que caminhar em qualquer local por 45 a 90 minutos depois de uma refeição pequena a média queima 10 a 15% mais calorias do que praticar esse exercício com o estômago vazio. O que causa isso é a chamada *ação termodinâmica* dos alimentos. Em outras palavras, isso ocorre porque associar o processo digestivo à suave ação da caminhada promove uma ligeira elevação da taxa metabólica, proporcionando uma queima maior de calorias por hora. Em quarto lugar, como mencionei, pesquisas indicam que as calorias continuam a ser queimadas mesmo depois de finalizada a sessão de exercícios. Portanto, essas são quatro ótimas razões para seguirmos em frente com a caminhada se quisermos emagrecer e manter o novo peso.

DICA 91: USE OS EXERCÍCIOS COMO ANTIOXIDANTES

Antioxidantes são substâncias químicas que ajudam a neutralizar os potencialmente perigosos radicais livres, que são produzidos quando o organismo converte oxigênio em energia. Se permanecerem ativos, os radicais livres podem desencadear diversos problemas, como danos celulares e um distúrbio chamado estresse oxidativo, que, como expliquei na Dica 37, é um desequilíbrio entre os fatores que causam a oxidação e aqueles que a inibem. Muitos nutrientes antioxidantes são encontrados em fontes alimentares primárias, como frutas e hortaliças frescas, grãos e óleos, levedura e muitos outros grupos de alimentos. (Veja a Dica 37 para saber quais são as 20 melhores fontes de antioxidantes). Embora haja muitas afirmações sobre os benefícios que os alimentos e suplementos alimentares ricos nessas substâncias proporcionam à saúde, discutiu-se pouco como o próprio organismo pode combater os danos causados pelos radicais livres.

As células desenvolvem uma série de sistemas internos que proporcionam proteção contra o estresse oxidativo. A prática regular de exercícios pode influenciar o equilíbrio entre antioxidação e oxidação, ou o equilíbrio oxidativo. Em outras palavras, ela atua como um antioxidante exatamente como qualquer alimento ou suplemento alimentar, ajudando o organismo a se livrar dos radicais livres.

A atividade física influencia o equilíbrio oxidativo, mas faz isso de maneira paradoxal. Nos momentos em que realizamos os esforços mais intensos, necessitamos de mais oxigênio para gerar energia, por isso são formadas mais moléculas instáveis de oxigênio, ou radicais livres. Durante os exercícios vigorosos, radicais hidroxila, que são altamente reativos, podem sobrecarregar os sistemas antioxidantes do organismo e causar danos às células e aos tecidos. Portanto, a atividade física vigorosa executada sem regularidade produz um grande estresse oxidativo. Contudo, quando o exercício é de intensidade moderada e recorrente (por exemplo, um programa de caminhada), o estresse oxidativo induzido por ele diminui com o tempo à medida que os sistemas antioxidantes vão se adaptando ao esforço.

Essa é uma maneira muito complicada de afirmar que a prática de exercícios de intensidade moderada é benéfica à saúde. Atividades aeróbicas regulares, como a caminhada, melhoram o equilíbrio oxidativo de diversas maneiras. Regulam os sistemas enzimáticos, responsáveis pela eliminação dos radicais livres que escapam, e também podem diminuir os níveis de formação de radicais livres quando estamos em repouso. Em outras palavras, as pessoas sedentárias tendem a ter um equilíbrio oxidativo deficiente porque são submetidas ao estresse oxidativo mesmo quando seu organismo está em níveis relativamente baixos de atividade. Os indivíduos com bom condicionamento físico, no entanto, tendem a ter um bom equilíbrio oxidativo porque seu corpo limita o estresse oxidativo durante a prática de exercícios e as ações do dia a dia.

Portanto, da próxima vez que você ingerir alimentos pelas suas propriedades antioxidantes, lembre-se de dar continuidade ao programa de exercícios de intensidade moderada para obter proteção antioxidante adicional contra os terríveis radicais livres. Se fizer isso, você parecerá mais jovem e viverá mais, além de perder peso.

DICA 92: ENCAIXE A ATIVIDADE FÍSICA NO SEU DIA A DIA

Todos nós trabalhamos demais e vivemos um cotidiano bastante atribulado. Temos um milhão de coisas a fazer diariamente. Como tornar a atividade física mais um desses compromissos?

Até que o programa de exercícios se torne um hábito, é uma boa ideia estabelecer um horário para praticá-lo diariamente. Isso garante regularidade. As pessoas conseguem variar o horário logo depois de dar início ao programa. Fazer uma caminhada de 20 minutos na hora do almoço é um esquema interessante, pois combina a queima de calorias com a diminuição da ingestão de calorias – tendo menos tempo para almoçar, comeremos menos.

Você pode preferir se exercitar de manhã, à tarde ou à noite, dependendo do período do dia que lhe for mais conveniente. Também pode alterar o horário em que pratica uma atividade física para torná-lo compatível com o do seu trabalho ou com suas tarefas domésticas. Veja a seguir os prós e os contras de se exercitar em três períodos específicos. Eles foram apontados por especialistas em condicionamento físico e podem ajudar você a individualizar seu programa.

- **Manhã.** O principal obstáculo aos exercícios matinais é a dificuldade de sair da cama. Se você optar por se exercitar pela manhã, é importante ter tempo suficiente para não se apressar, sobretudo se precisa ir trabalhar ou se tem tarefas domésticas. Como costuma haver menos interrupções nesse período do dia, as pessoas que caminham logo cedo têm mais chance de seguir os programas de exercícios durante longos períodos. Além da sensação de dever cumprido, exercitar-se nesse horário proporciona mais energia para enfrentar o dia.
- **Tarde.** Em geral, sentimos uma queda nos níveis de energia entre as 14h e as 15h que está relacionada com o nosso ritmo circadiano natural. Em parte, essa baixa se deve ao fato de, a essa hora, termos acabado de almoçar. Alguns especialistas em fisiologia do exercício dizem que caminhar ao meio-dia pode amenizar essa diminuição de energia, elevando os níveis de alguns hormônios que nos deixarão animados por muitas horas. Lembre-se, no entanto, de que não é uma boa ideia se exercitar logo depois do almoço ou simplesmente não almoçar. Caminhar durante 20 minutos e depois fazer uma refeição leve nos deixa mais dispostos pelo resto do dia.
- **Noite.** Flutuações nos ritmos biológicos fazem com que tenhamos mais facilidade para respirar no fim da tarde ou no começo da noite, pois as passagens de ar nos pulmões se alargam, a força dos músculos aumenta por causa da temperatura corporal ligeiramente mais elevada e as articulações e os músculos ficam mais flexíveis. Esse pode ser um bom período para praticar exercícios. Contudo, se você teve um dia muito difícil e está exausto, a ativi-

dade física talvez pareça mais uma obrigação do que um divertimento. Além disso, nunca se exercite pouco antes de ir dormir porque a elevação do nível de energia após o esforço físico pode dificultar o sono.

Lembre-se de que a escolha é sua. Pratique a atividade física de acordo com o seu relógio biológico e com os seus compromissos cotidianos. O corpo é seu - escute-o e ele lhe responderá com energia e força ilimitadas se você se exercitar com regularidade.

DICA 93: NÃO ACREDITE NOS MITOS SOBRE OS EXERCÍCIOS

Não se deixe enganar pelos mitos comuns apresentados a seguir.

MITO: QUANTO MAIS SUAMOS, MAIS CALORIAS QUEIMAMOS

O fato de transpirarmos mais não significa que estamos queimando mais calorias. O segredo para nos livrarmos de uma quantidade maior de calorias e perdermos mais peso envolve dois aspectos. Em primeiro lugar, é a intensidade dos exercícios que determina quantas calorias eliminamos. Se estivermos respirando forte e sentindo dores nos músculos, estamos queimando as calorias extras. Em segundo lugar, e isso é o mais importante: a duração dos exercícios. Atividades de intensidade moderada, como uma caminhada de 30 a 40 minutos, gastam mais calorias do que exercícios vigorosos de curta duração - e sem provocar dores musculares e dificultar a respiração. Com a elevação da taxa metabólica basal (TMB) por um período mais longo, o organismo queima calorias de forma constante durante a execução dos exercícios e mantém esse processo em um ritmo menos acelerado até mesmo após o término do treino. Isso acontece porque a TMB não cai de imediato após a prática de atividades físicas de intensidade moderada e de longa duração.

MITO: NO TREINAMENTO COM PESOS, QUANTO MAIOR A CARGA, MAIOR A QUEIMA DE CALORIAS

Treinar com cargas pesadas queima mais calorias inicialmente. No entanto, como essa atividade não pode ser executada por muito tempo, o período de queima das calorias é curto. Além disso, exercitar-se com muito peso pode provocar fissuras nos músculos e nos ligamentos, bem como lesões nos tendões. Um dado interessante apontado pelos estudos é que esse tipo de treinamento pode contribuir para o desenvolvimento de hipertensão arterial. Isso ocorre porque esse é um exercício anaeróbico e não promove a oxigenação de todas as células do organismo, como fazem as atividades aeróbicas.

Por outro lado, o treinamento de força executado com cargas leves a médias pode durar mais tempo, o que permite a queima constante de calorias e estimula o metabolismo como um todo. Isso promove o emagrecimento e a definição gradativa da musculatura. E mais: à medida que envelhecemos, os exercícios com pesos ajudam a prevenir a osteoporose, ou a rarefação e o enfraquecimento dos ossos. Esse tipo de atividade também aumenta a massa muscular, que é capaz de queimar mais calorias do que a gordura até mesmo depois que paramos de nos exercitar.

MITO: FAZER GINÁSTICA PELA MANHÃ QUEIMA MAIS CALORIAS

A quantidade de calorias que queimamos não tem nada a ver com a hora do dia em que nos exercitamos - ela depende, isso sim, do tipo e da duração da atividade física que realizamos. O organismo não diferencia os exercícios matinais dos noturnos. Tudo o que ele sabe é quantas calorias foram gastas de acordo com a duração e a natureza da atividade física que praticamos. Para perdermos cerca de 500g de gordura corporal, precisamos queimar 3.500 calorias, e essa fórmula é sempre válida, não importa em que horário nos exercitamos. Emagrecer meio quilo pode levar um dia, uma semana ou um mês, pois as calorias queimadas são cumulativas. Em outras palavras, se nos livrarmos de 350 calorias por dia caminhando, perderemos em torno de 500g de gordura corporal em 10 dias (350 calorias x 10 dias = 3.500 calorias a menos).

MITO: A MELHOR MANEIRA DE EMAGRECER É PRATICAR CORRIDA E EXERCÍCIOS AERÓBICOS VIGOROSOS

Praticando exercícios vigorosos, queimamos basicamente carboidratos durante os 2/3 iniciais do treino e, no último terço, começamos a queimar gordura. A caminhada e as atividades físicas de intensidade moderada, por outro lado, queimam gordura durante os primeiros 2/3 da sessão e, no último terço, carboidratos. É fácil ver que nos livramos de mais calorias (a gordura tem nove calorias por grama, enquanto o carboidrato possui quatro calorias por grama) realizando exercícios de intensidade moderada, como a caminhada.

Os exercícios vigorosos não são apenas ineficazes em um programa de emagrecimento como também são perigosos, pois contribuem para lesões nos músculos e nos ligamentos. Sabemos também que causam problemas mais graves, como infarto e derrame. Um estudo da Universidade de Pittsburgh revelou que mulheres que classificaram seus exercícios como moderados perdiam uma quantidade idêntica ou até maior de peso do que aquelas que se exercitavam com mais vigor. É a duração total da atividade, e não a sua intensidade, que queima mais calorias. O emagrecimento ocorre de modo mais gradual e eficaz em um programa de exercícios de intensidade moderada, como a caminhada. Quando praticada com regularidade, essa atividade favorece a manutenção do novo peso.

DICA 94: CAMINHE PARA SE LIVRAR DOS QUILOS EXTRAS

A caminhada é um ótimo exercício de intensidade moderada que, além de ajudar a emagrecer, beneficia o coração. Uma de suas grandes vantagens é não estar limitada a horários e locais específicos. Não exige roupa nem equipamento especial nem requer matrícula em academia. Podemos caminhar antes ou depois do expediente. Se vamos de carro para o trabalho, basta estacionarmos a um ou dois quarteirões de distância do prédio e percorrermos o resto do caminho a pé. Se vamos de ônibus ou de metrô, podemos descer antes do ponto ou da estação e andar até o escritório. Às vezes, um shopping center é o lugar perfeito para uma caminhada em um dia chuvoso. Podemos andar até durante o intervalo do almoço para aliviar a tensão do trabalho.

A caminhada é o exercício aeróbico ideal para quem quer ter saúde, adquirir condicionamento físico e emagrecer sem se expor aos riscos dos treinos intensos. Para perdermos peso de modo constante, a energia gasta durante a atividade física deve vir das gorduras, não dos carboidratos. Nos primeiros 20 ou 30 minutos de um exercício de intensidade moderada, como a caminhada, apenas 1/3 da energia usada vem dos carboidratos, enquanto 2/3 dela são provenientes da gordura corporal. Nos curtos períodos de atividades vigorosas, 2/3 da energia vêm dos carboidratos e somente 1/3 dela é fornecido pela gordura corporal. É lógico dizer, portanto, que, o exercício contínuo, como a caminhada, que queima sobretudo gordura corporal, é muito melhor para a redução e a manutenção do peso do que as atividades que demandam um esforço muito grande.

Como os exercícios vigorosos queimam carboidratos, eles provocam uma queda nos níveis de açúcar no sangue (glicose), o que aumenta o apetite. Caminhar, por outro lado, desvia o sangue para longe do estômago, em direção aos músculos que estão sendo exercitados, e diminui a fome. Além disso, acelera o metabolismo, ajudando a queimar calorias em um ritmo mais intenso.

USE A CAMINHADA PARA SE LIVRAR DE CALORIAS E GORDURA

A única maneira de vencer a batalha contra uma silhueta rechonchuda é queimar os quilos extras. Em uma hora de caminhada, queimamos cerca de 350 calorias, portanto podemos perder em torno de 500g de gordura corporal a cada 10 horas de exercício. Uma caminhada acelerada de 20 minutos todos os dias queima calorias suficientes para nos ajudar a emagrecer rápido. Caminhadas de 10 minutos duas vezes por dia surtem o mesmo efeito. A tabela a seguir lhe dará uma ideia da energia gasta na caminhada, a quantidade de calorias queimadas por minuto e por hora e em velocidades diferentes.

Velocidade da caminhada	Calorias queimadas por minuto	Calorias queimadas em 30 minutos	Calorias queimadas em 60 minutos
Lenta (3km/h)	4-5	130-160	260-320
Moderada (5km/h)	5-6	160-190	320-380
Rápida (6,5km/h)	6-7	190-220	380-440
Corrida (8km/h)	7-8	220-260	440-520

Cerca de 500g de gordura corporal contém em torno de 3.500 calorias. Quando ingerimos 3.500 calorias a mais do que o corpo necessita, ele as estoca na forma de meio quilo de gordura. Portanto, deixando de ingerir 3.500 calorias, perderemos meio quilo. Não importa quanto tempo o organismo leva para armazenar ou queimar 3.500 calorias. O resultado é sempre o mesmo. Ou ganhamos ou perdemos 500g de gordura corporal, dependendo do tempo que despendemos para acumular ou queimar as 3.500 calorias.

É possível perder peso apenas andando. Quando caminhamos por uma hora a uma velocidade de 5km/h, queimamos 350 calorias. Assim, se realizarmos esse exercício uma hora por dia durante 10 dias, queimaremos um total de 3.500 calorias. Como há 3.500 calorias em cerca de 500g de gordura, emagreceremos cerca de meio quilo. E continuaremos a nos livrar dessa mesma quantidade de gordura sempre que completarmos 10 horas de caminhada a essa velocidade. É infalível.

Vinte minutos de caminhada seis dias por semana é tudo de que precisamos. Andar 20 minutos ao ar livre ou na esteira proporciona condicionamento cardiovascular, boa saúde e energia ilimitada. Ajuda a queimar as calorias extras para que possamos emagrecer e também diminui o apetite. Esse plano de caminhada fornece o combustível que abastece os nossos níveis de energia.

Se você for iniciar o programa de caminhada, escolha um terreno plano, pois ladeiras sobrecarregam os músculos das pernas, dos quadris e das costas. Não se esqueça de andar em um passo moderado (entre 5 e 5,5km/h) para obter a eficiência máxima. No começo do exercício, sua respiração e seu ritmo cardíaco ficarão automaticamente mais acelerados. No entanto, caso sinta falta de ar ou se canse demais, é porque está em um ritmo muito acelerado. Vá mais devagar e pare sempre que necessitar. Retome o treino depois do descanso.

Concentre-se em caminhar de modo natural e uniforme, imprimindo energia a cada passada. Permaneça com a postura ereta e, de vez em quando, contraia os músculos abdominais para fortalecê-los. Ande com os ombros relaxados e deixe os braços penderem relativamente, de acordo com o movimento natural dos cotovelos. Não os mantenha em uma posição muito elevada para evitar espasmos nessa região e dores na musculatura do pescoço, das costas e dos ombros.

Os músculos e as articulações dos tornozelos, joelhos e quadris fornecem a maior parte da energia necessária à caminhada. Quando damos passos muito grandes ou pequenos demais, atrapalhamos a marcha natural. Uma passada confortável, uniforme e contínua estabelecerá o ritmo e o estilo para uma caminhada sem esforço. Além disso, não fique flexionando e estendendo os dedos dos pés durante o treino, pois isso desperdiça energia. Mantendo-os sempre estendidos, você andará de modo regular e cadenciado.

Durante esse exercício, os braços devem balançar de acordo com o movimento natural dos ombros. Agitá-los intencionalmente reduzirá a eficiência da caminhada e logo o deixará cansado. Não se concentre demais no ato de andar enquanto dá ritmo à sua passada, pois assim permitirá que os músculos relaxem e tenham um desempenho melhor. Você começará a se sentir mais confortável à medida que seus passos forem ficando mais espontâneos.

DICA 95: VÁ DEVAGAR PARA CHEGAR LONGE

Emagrecer com um treino de intensidade moderada e uma alimentação saudável é um processo gradual. O mais importante em relação a isso é: desde que o programa de caminhada seja seguido da forma recomendada, a chance de recuperação do peso é mínima, pois o organismo terá passado por um lento processo metabólico no qual o ajuste à perda e à manutenção do peso foi gradativo. Por isso, pessoas que adotam um programa regular de exercícios não voltam a engordar rapidamente.

NÃO SE PREOCUPE COM A DISTÂNCIA NEM COM A VELOCIDADE

Você não precisa ser fanático por exercícios para começar um treinamento. Não é necessário que seja maratonista nem viciado em atividades aeróbicas para obter os benefícios de um programa de caminhada. A duração do treino diário é mais importante do que sua velocidade e sua intensidade. Se você caminha 20 minutos por dia, não faz muita diferença se anda a 2, 3, 4 ou 5km por hora. O essencial é que está queimando calorias, emagrecendo e adquirindo condicionamento físico. Em outras palavras, não importam a distância nem a rapidez com que você a percorre, contanto que caminhe regularmente.

A caminhada de intensidade moderada é um tipo de atividade aeróbica em que inspiramos oxigênio com a mesma rapidez que o queimamos, o que é um modo eficiente de usar a energia. No caso dos exercícios anaeróbicos, a situação é exatamente oposta por conta do esforço excessivo. Isso ocorre quando os músculos são exercitados além da sua capacidade – por exemplo, em corridas rápidas e no treino com cargas pesadas. Os exercícios anaeróbicos fazem com que o ácido láctico vá se acumulando nos músculos, o que causa dor, desconforto e cansaço, quadro conhecido como *déficit de oxigênio*.

Para que a caminhada seja de intensidade moderada, temos que andar a uma velocidade de 4 a 5,5km por hora. Se ultrapassarmos os 6,5km/h, isto é, se entrarmos no ritmo rápido, a parte superior dos braços e os ombros se movimentarão depressa demais, fazendo com que os músculos da parte inferior da perna trabalhem mais para compensar, o que gera um gasto inútil de energia. Portanto, ande a uma velocidade confortável, que não o deixe sem ar.

DICA 96: CAMINHE COM PESOS NAS MÃOS PARA ACELERAR O EMAGRECIMENTO

Não há necessidade de praticar exercícios aeróbicos vigorosos nem de usar cargas pesadas na academia (quer se trate de halteres, quer se trate de aparelhos de musculação) para obter condicionamento cardiovascular, emagrecer e desenvolver os músculos. Caminhando com pesos leves nas mãos, de 500g a 1kg, ganhamos massa muscular e aceleramos o metabolismo, pois o tecido muscular queima mais calorias do que as células de gordura. Combinar a caminhada - um exercício aeróbico que queima gordura - com pesos de mão - que ajudam a aumentar a massa muscular - nos permite emagrecer e adquirir formas mais esguias e firmes.

O POWER DIET-STEP

O Power Diet-Step®, programa que desenvolvi, alia os benefícios da caminhada (atividade aeróbica) aos do exercício com pesos (treinamento de força), proporcionando uma dupla vantagem: a queima de calorias, que nos faz emagrecer, associada à definição e tonificação dos músculos. É o que ocorre quando caminhamos por 20 minutos segurando pesos de 500g ou 1kg.

Como você viu na Dica 94, uma hora de caminhada a uma velocidade moderada queima cerca de 350 calorias, ou 117 calorias a cada 20 minutos. O acréscimo do treinamento de força (os pesos nas mãos) promove a queima de mais 175 calorias por hora, ou de 58 calorias a cada 20 minutos. Os treinamentos de força aumentam a taxa metabólica basal (TMB), e isso intensifica o gasto calórico. Ao todo são queimadas 175 calorias a cada 20 minutos de caminhada com pesos, o que acelera o processo de emagrecimento.

Ao caminhar com os pesos, deixe que seus braços se movimentem de forma natural, como em uma caminhada comum. Eles devem pender ao lado do corpo. Segure os pesos com a palma das mãos virada para o corpo. À medida que andar, mova os braços alternadamente e de modo suave, flexionando de leve os cotovelos a cada passada. Para intensificar a ação dos braços, flexione os cotovelos em um ângulo de 90º e leve os braços para a frente e para trás como fazem os corredores.

O Power Diet-Step promove uma queima de calorias 50% maior do que a caminhada sem pesos. Outra vantagem é que andar com carga desenvolve massa muscular, e cerca de 500g de músculo queima, por hora, 50 calorias extras. Esse exercício é ideal para ajudar a prevenir a osteoporose, pois posiciona a tensão sobre os ossos e os músculos, o que é essencial para evitar a perda óssea. Ele também beneficia o sistema cardiovascular, baixando a pressão arterial e contribuindo para a redução da incidência de doenças cardíacas e derrame.

Se quiser incorporar o treinamento de força às suas caminhadas regulares, comece carregando os pesos em dois dos seis dias do programa semanal. (Veja a Dica 97.) Caso deseje tonificar os músculos e fortalecer a parte superior do corpo, aumente a frequência do exercício com carga para três vezes por semana.

DICA 97: DÊ A SI MESMO UM PRAZO DE SEIS SEMANAS

Nem sempre é fácil começar um programa aeróbico de caminhada. Com um milhão de coisas para fazer todos os dias, é preciso motivação para adquirir o hábito de praticar uma atividade física com regularidade. Estabeleça o objetivo de se exercitar de modo contínuo (o ideal seriam seis dias por semana) durante seis semanas. Ao longo desse período, você perceberá tantas mudanças positivas em sua saúde e em seu corpo que acabará se viciando em praticar uma atividade física.

Caminhar apenas 20 minutos seis dias por semana fará com que, ao fim de seis semanas, você perceba diferenças em sua aparência, além de muitas outras mudanças proporcionadas pela melhora no condicionamento físico:

- Os músculos abdominais estarão firmes e sustentarão melhor os órgãos internos.
- O fortalecimento das pernas e a perda de gordura nas coxas deixarão essas regiões mais esguias.
- Os glúteos proporcionarão mais firmeza às nádegas, pois estarão tonificados e modelados.
- Os braços estarão mais finos e definidos, graças à perda de gordura em sua parte superior e à tonificação do tríceps e do bíceps.
- Os músculos peitorais darão mais sustentação aos seios, realçando a silhueta.
- Com o treinamento aeróbico, os pulmões, o coração e a circulação sanguínea funcionarão com mais eficiência, dando-lhe mais energia.
- Os padrões do sono vão melhorar, dispensando o uso de remédios.

- O músculo cardíaco bombeará sangue com mais eficiência, ajudando a reduzir a pressão arterial e beneficiando a capacidade cardiovascular como um todo.
- Com a continuidade do programa de caminhada, seu condicionamento físico aumentará, assim como os seus níveis de energia.
- A caminhada queima calorias e eleva a taxa metabólica. Por isso, seguir um programa regular de caminhada garantirá o emagrecimento e a manutenção do novo peso.

DICA 98: NÃO DESANIME NOS DIAS DE CHUVA

Não espere até o tempo melhorar para sair e caminhar. Não deixe de se exercitar em casa com a desculpa de que está frio ou quente demais. Entretanto, tenha cuidado ao praticar uma atividade física ao ar livre em dias de forte calor e de alta umidade. A exaustão e, em circunstâncias extremas, o derrame causado pelo calor são complicações frequentes apresentadas por aficionados por exercícios, como aqueles que vemos correndo no sol em dias extremamente quentes. Lembre-se de que também não é necessário caminhar ao ar livre se estiver muito frio, ventando demais ou chovendo.

Veja algumas opções de exercícios para quando não for possível caminhar ao ar livre:

- Use uma bicicleta ergométrica. Pedale por 20 minutos em um ritmo confortável até percorrer 15 a 25km. Para evitar o cansaço, divida esse treino em duas sessões de 10 minutos.
- Caminhe na esteira. Esse é um modo eficaz de queimar calorias e melhorar a capacidade cardiovascular. Nesse equipamento, você pode andar da mesma forma que faria ao ar livre.
- Nade. Vinte minutos de natação proporcionam os mesmos benefícios em termos de condicionamento aeróbico e capacidade cardiovascular que a caminhada ao ar livre e os exercícios feitos em ambientes fechados. A natação tem ainda a vantagem de não sobrecarregar as articulações, o que é especialmente importante para quem tem artrite ou problemas nas costas.
- Experimente o elíptico. Esse tipo de aparelho combina o movi-

mento de uma esteira com a subida de uma escada. É a simulação de uma caminhada, mas as bases de apoio dos pés se movem, subindo e descendo com eles. É uma atividade sem impacto, o que é ótimo para quem sofre de artrite ou tem problemas no joelho ou nas costas que dificultam a caminhada. Para se exercitar ao máximo, prefira o elíptico com braços móveis, que se deslocam para a frente e para trás a cada passada. Esse modelo permite queimar mais calorias e usa mais grupos musculares do que o de braços fixos.

- Ande em um shopping center. Se você não gosta de se exercitar em casa nem na academia quando o tempo está ruim, um shopping pode ser o lugar ideal para a sua caminhada de 20 minutos. Chegue cedo, assim que as lojas forem abertas, pois é provável que nesse período haja pouco movimento. Lembre-se de imprimir força, vigor e uniformidade às passadas. E mantenha os olhos voltados bem para a frente, pois o objetivo não é olhar vitrine.

DICA 99: VEJA QUANTAS CALORIAS A CAMINHADA PODE QUEIMAR

Nenhuma dieta funcionará se não for flexível. Às vezes, é impossível não "escorregar" e sair da linha. Mas isso não significa que você precise viver com as calorias extras. Experimente se livrar delas com a caminhada. A tabela a seguir mostra quantos minutos de caminhada com passadas vigorosas a uma velocidade de 5km/h são necessários para queimar as calorias contidas nas guloseimas e nos lanches listados:

Guloseimas e lanches	Minutos de caminhada
Suco de maçã (180ml)	17
Banana (média)	16
Sanduíche de mortadela	50
Bolo (1 fatia)	63
Bolachas de queijo (6)	35
Frango frito (3 pedaços)	50

Chips de milho (pacote pequeno)	33
Cachorro-quente	50
Hambúrguer com pão (120g)	73
Sundae	75
Torta de maçã (1 fatia)	46
Chips de batata (pacote pequeno)	33
Pretzel (1)	30
Maçã (média)	15
Bagel (1)	23
Cerveja (360ml)	30
Bala (30g)	45
Barra de chocolate com nozes (30g)	28
Sanduíche de carne com queijo (1/2)	55
Cookies de chocolate (3)	25
Batata frita (80g)	50
Sorvete de casquinha	30
Milk-shake de chocolate (240ml)	42
Suco de laranja (180ml)	16
Amendoim com casca (60g)	37
Pizza (1 fatia)	40
Pretzels, duros (3 pequenos)	30
Refrigerante comum (360ml)	24
Uísque, de centeio (30ml)	17
Vinho, Chablis (120ml)	14
Camarão, coquetel (6 pequenos)	18
Atum no pão integral (60g)	41

Se o seu salgadinho ou lanche preferido não aparece na tabela, você pode descobrir facilmente o tempo que precisa andar para queimar as calorias que ele contém. Caminhar em um ritmo moderado (5km por hora) queima até seis calorias por minuto. Portanto, dividindo o número de calorias do alimento por seis, você saberá quanto tempo terá que andar para se livrar delas.

DICA 100: LEMBRE-SE: É MAIS FÁCIL ENTRAR EM FORMA DO QUE FICAR FORA DE FORMA

Não desanime se você não cumprir o seu programa de exercícios durante alguns dias nem entre em pânico se não puder ir à academia por uma ou duas semanas seguidas. Muitas pessoas não iniciam um programa de exercícios porque ficam preocupadas em não conseguir segui-lo com regularidade. No entanto, em vez de se concentrar na dificuldade, é importante ter em mente que é mais fácil entrar em forma do que ficar fora de forma.

O organismo humano é impressionante - mesmo depois que deixamos de nos exercitar, ele costuma manter por um longo tempo os benefícios que adquirimos com o condicionamento físico. Por isso, ainda que você tenha perdido uma ou mais semanas de exercícios em um mês, não se preocupe. Depois que estiver fisicamente condicionado, levará muito mais tempo para voltar a ficar fora de forma do que necessitou para entrar em forma. A taxa de regressão depende do tempo que estamos praticando uma atividade física e do nosso nível de condicionamento. A maioria das pessoas perde a força muscular mais ou menos na metade do ritmo em que a conquista. Portanto, se você estiver se exercitando regularmente há três meses e precisar parar por algum motivo, pode levar até seis meses para que seu corpo volte ao estado em que se encontrava antes do início do treinamento.

No caso de alguém que caminha há cerca de dois ou três meses, a capacidade aeróbica começa a diminuir nas primeiras duas ou três semanas depois de interrompido o programa. Contudo, pessoas que já estão fisicamente condicionadas por terem treinado por mais tempo podem levar quatro a seis meses para retornar à forma física original. Os exercícios aeróbicos diminuem o colesterol ruim (LDL) e aumentam o colesterol bom (HDL) dois ou três meses depois de serem iniciados. Estudos mostraram que, após a suspensão do treino, foram necessários pelo menos três meses para que os níveis de colesterol voltassem às taxas originais. Quando os praticantes retomaram a atividade aeróbica, precisaram apenas de metade do tempo para readquirir o condicionamento físico que tinham antes.

Portanto, não entre em pânico caso tenha que fazer uma pequena interrupção no seu programa de exercícios. Os benefícios que você se esforçou tanto para conquistar são duradouros e podem ser recuperados em metade do tempo. É motivador pensar em como a atividade física pode nos proporcionar um corpo saudável, esguio e bem condicionado, que se manterá assim por mais tempo.

POSFÁCIO: APROVEITE A VIDA E VIVA MAIS

Seguindo essas 100 dicas para emagrecer e nunca mais voltar a engordar, você vai conquistar não apenas uma ótima aparência, como também fará um favor ao seu corpo e à sua saúde.

Estudos mostram que o excesso de peso causa doenças cardiovasculares, com uma elevação significativa da mortalidade, e que a expectativa de vida aumenta após o emagrecimento. Entre os obesos a incidência de hipertensão é muito mais alta do que entre as pessoas que estão com o peso normal. A obesidade sobrecarrega o coração, que tem que bombear mais sangue para suprir as necessidades do metabolismo, pois elas se expandem quando o corpo está com peso excessivo. Isso faz com que o ventrículo esquerdo vá se tornando gradativamente maior por causa do trabalho adicional que realiza. O efeito combinado da obesidade, da hipertensão e da hipertrofia ventricular pode acabar provocando insuficiência cardíaca. O emagrecimento pode reduzir a pressão sistólica e a diastólica, desde que ocorra antes do aumento do ventrículo e da insuficiência cardíaca.

O excesso de peso também acarreta uma alteráção na química do organismo e no metabolismo. Os níveis de açúcar no sangue (glicose) sobem drasticamente com a obesidade, desencadeando o desenvolvimento de diabetes. O ácido úrico no sangue se eleva, o que costuma favorecer a formação de cálculos renais e crises de gota. As pessoas obesas têm níveis mais altos de triglicerídios e do mau colesterol (LDL). Além disso, sua taxa de HDL, o bom colesterol, é mais baixa. Essas alterações no perfil lipídico podem acabar provocando doença coronariana grave. É possível reverter as anormalidades na química do sangue se o emagrecimento ocorrer antes do surgimento de complicações permanentes.

Por fim, como se não bastassem todos esses riscos associados ao excesso de peso, há mais indícios de que ele prejudica a saúde: *a obesidade, em si, é considerada um fator de risco independente para doença cardíaca coronariana.* Dados estatísticos de um acompanhamento realizado ao longo de 26 anos pelo Framingham Heart Study mostram que o excesso de peso sozinho, isto é, sem considerar nenhum outro fator, foi suficiente para causar um aumento significativo no risco de doença coronariana e morte prematura tanto em homens quanto em mulheres.

Para ter uma vida mais saudável e mais longa e vencer a guerra contra a obesidade, precisamos considerar dois preceitos simples: adotar uma alimentação pobre em gordura - mas rica em fibras e proteínas magras - e praticar regularmente exercícios aeróbicos. Seguindo essas duas diretrizes, conseguimos emagrecer, baixar a taxa de gorduras no sangue e diminuir o risco de hipertensão, doença cardíaca, derrame e determinados tipos de câncer. Em suma, a dieta saudável e a atividade física acrescentam anos à nossa vida e nos permitem vivê-los bem.

CONHEÇA OUTROS TÍTULOS DA EDITORA SEXTANTE

1.000 lugares para conhecer antes de morrer, de Patricia Schultz

A História – A Bíblia contada como uma só história do começo ao fim, de The Zondervan Corporation

A última grande lição, de Mitch Albom

Conversando com os espíritos e *Espíritos entre nós*, de James van Praagh

Desvendando os segredos da linguagem corporal e *Por que os homens fazem sexo e as mulheres fazem amor?*, de Allan e Barbara Pease

Enquanto o amor não vem, de Iyanla Vanzant

Faça o que tem de ser feito, de Bob Nelson

Fora de série – Outliers, de Malcolm Gladwell

Jesus, o maior psicólogo que já existiu, de Mark W. Baker

Mantenha o seu cérebro vivo, de Laurence Katz e Manning Rubin

Mil dias em Veneza, de Marlena de Blasi

Muitas vidas, muitos mestres, de Brian Weiss

Não tenha medo de ser chefe, de Bruce Tulgan

Nunca desista de seus sonhos e *Pais brilhantes, professores fascinantes*, de Augusto Cury

O monge e o executivo, de James C. Hunter

O poder do Agora, de Eckhart Tolle

O que toda mulher inteligente deve saber, de Steven Carter e Julia Sokol

Os segredos da mente milionária, de T. Harv Ecker

Por que os homens amam as mulheres poderosas?, de Sherry Argov

Salomão, o homem mais rico que já existiu, de Steven K. Scott

Transformando suor em ouro, de Bernardinho

INFORMAÇÕES SOBRE OS PRÓXIMOS LANÇAMENTOS

Para receber informações sobre os lançamentos da EDITORA SEXTANTE, basta cadastrar-se diretamente no site www.sextante.com.br

Para saber mais sobre nossos títulos e autores, e enviar seus comentários sobre este livro, visite o site www.sextante.com.br ou mande um e-mail para atendimento@esextante.com.br

EDITORA SEXTANTE
Rua Voluntários da Pátria, 45 / 1.404 – Botafogo
Rio de Janeiro – RJ – 22270-000 – Brasil
Telefone: (21) 2538-4100 – Fax: (21) 2286-9244
E-mail: atendimento@esextante.com.br